アジアの未来を描き直す

インドからの発言

アシシュ・ナンディ
Ashis Nandy

藤原帰一
Fujiwara Kiichi

◎目次

アジアの未来を描き直す――南アジアからの一つの応答

アシシュ・ナンディ（Ashis Nandy）

はじめに

十代のころ、ベンガル語の小説とナショナリストのパンフレットを読んだとき、生き生きとした実体感のある「アジア」の理念に初めて出会いました。当時の小説やパンフレットにはそうなればいいなあという希望的なものが描き出されていただけだとも言えますが、文化的な敗北に喘ぎ政治的な従属の下で分裂させられてきた植民地社会においては、たとえわずかな兆しであっても、現地の人々の間にある種の親密さが醸成されてきたということが大事な認識だったのです。ラングーン［現在のヤンゴン］、マンダレー、広東、上海、バタビア［現在のジャカルタ］、東京は、地政学的な地名であるだけでなく、英領インドにおいて独立運動を行う自由の戦士が帝国警察の手から逃れ、狂った犬のように走り回る土地をも意味しました。だからこそ、これらの都市に因むロマンスや冒険が超人的な英雄の物語として叙述されたのです。今日では荒唐無稽なフィクションにしか思えない筋書きも、精神的に打ち砕かれ、搾取され、辱められた当時の人々には、精神を鼓舞する内容にほかならなかったのです。数々の英雄たちは精悍な男性で、暴力による革命を訴え、戦争技術を含めて西洋的な知識体系を修得した人々でした。二〇世紀のインドで大変な人気を誇った作家ショロットチョンドロ・チョットパッダエ（Saratchandra Chattopadhyay, 1876-1938）の執筆した『道を通る権利（*Pather Dabi*）』の主人公サッビヤサッチ（Sabyasachi）が、典型的な事例です。サッビヤサッチは自由の戦士であったばかりか、経験を積んだ現代の医者であり、エンジニアの資格を備えていて諜報活動と武装闘争に熟達した人でした。植民地政府が発禁処分としたこの小説は、そのため逆に評判となりました。

この問題をポストナショナリストの視点から取り上げた最初の作品は、力強く感受性豊かで、しかも凝った文章で書かれた、それゆえあまり上手な翻訳がなかった、ラビンドラナート・タゴールの『ゴーラ（*Gora*）』でしょう。この作品では、アフリカ・アジアのあらゆる国々が直面し、しかも正面から対峙してこなかったテーマが取り上げられます。すなわち、植民地の支配者と同じような存在になってしまうことなく植民地主義を克服できるのかという問いであり、失われた自分をさらに喪失することなくいかに取り戻せるのかという課題です。[1]

小説の主人公ゴーラは、熱心で知的に洗練されたナショナリストで、タゴールはこの人物を力に満ちたすばらしい文章で描き出して、ナショナリズムの正しさを表現しました。けれどもゴーラが恋に落ちたのは、郷土愛（patriotism）や社会改革に関して大きく異なる伝統を保つ社会から来た女性でした。そこは人情に溢れた人々が非暴力的に暮らし、自分たちの遺産を死守するぞなどという声は聞かれない社会でした。けれども、ゴーラが自らはアイルランド人夫婦の孤児だったという事実を知らされたときに、二人の価値観の対立は乗り越えられることになります。ゴーラの父親は一八五七年のインド大反乱の最中に殺害され、母親は彼を生んだとき死亡していたのです。こうして主人公は、ヒンドゥー・ナショナリスト自身の暗い一面をも認めた上で、もっと広く世界に開かれたもう一つの郷土愛を学び初めます。

タゴールが言いたかったのは、ヒンドゥー・ナショナリズムや、それで言えばあらゆる形のナショナリズムは、特定の地域を示唆する染みや傷を消してしまったら、ヨーロッパの生み出した子どもにすぎなくなってしまうということだったのでしょうか？ 私にもわかりません。けれども、傷ついた自分から生まれ変わったゴーラが抱いた世界観は、モーハンダース・カラムチャンド・ガンディー（Mohandas Karamchand Gandhi, 1869-1948）のそれと不思議なほど似ています。この小説が書かれたころ、ガンディーはまだ南アフリカの地で奮闘している弁護士でしたから、インドではあまり知られていませんでした。しかし、ゴーラとガンディーの類似性は偶然ではないと思います。文学史家シシル・クマール・ダース（Sisir Kumar Das）は、タゴールの多くの作品を検証した上で、タゴールはガンディーのような人物がインド社会にいずれ出現するだろうと予測していたと論じています。[2]

私にとっての『ゴーラ』は、現存のナショナリズムがヨーロッパ起源のものにほかならず、支配への抵抗とは単に反抗するだけではなく、支配者の支持する枠組みの外に踏み出さなければならないことだと真摯に論じた、初めての作品でした。今日は、もう少し控えめな表現にはなりますが、そうした内容のお話をしたいと思います。

Ⅰ

かつてのアジアは、探検家や一攫千金を狙う者や野心的な征服者を魅了し、数多くの政治的単位を擁する地政学的な存在にすぎませんでしたが、そうした数百年はもはや過去のものとなりました。今日では、いくつもの大きな期待を担っている理念こそがアジアです。とはいえ、一九世紀半ば以降、社会知識の科学化が推奨され、大規模な人間集団の効率的統制が求められ、そうした期待に応えるように、国際関係や戦略研究、さらに紛争解決技術の唯一の基盤として、地政学（geopolitics）こそが最優先される時代が続いてきました。今日でも、地政学が神の摂理に等しい扱いを受け、グローバルな常識と政治的なリアリズムを支えています。

しかし、地政学的なリアリティの横には、広大な未知の領域が横たわっています。その領域では、集団的な情念、共有された幻想、昔から引き継がれてきた自分たち自身のアイデンティティーが大釜のようなものの中に投げ込まれ、その中で人間的な対立を招きかねない恐怖、不安、欲望、希望、望ましい未来のビジョンなどがふつふつと煮立っているような状態です。まさにその煽りを受けて、国際政治や政治社会が歪んだ方向に逸脱していくという結果を招いています。けれども、ベネディクト・アンダーソンがナショナリズムについて論じたように、「想像の共同体（imagined community）」としての「国民（nation）」が、ジェノサイドや戦争や植民地の征服によって国家主義的な目標を忠実に追求できたのなら、「再想像された大陸（re-imagined continents）」という理念も、行き過ぎた《ハイパー》ナショナリズムや排外主義に抵抗する「対抗的アイデンティティー（counter-identity）」とオルタナティヴなビジョンを生み出すことができるのではないでしょうか。[3]

ここで提起しようとしているアジアという理念は、これまでにもさまざまな視角から検討されてきました――ときには明確な集団的アイデンティティーの研究が推奨され、ときにはそうした研究は国際関係のリアリティから切り離された、あまりにも無駄でロマンティックなものにすぎないと否定されながら。アジアの国々と知識人のコミュニティは、そうした変化に対して、ときに肯定的に、ときに否定的に、共鳴してきました。

まず、私がどこから来たのか、そしてアジアを再定義し、あるいは再発見しようとする初期の試みとなったグローバルなコンテクストについてどのように感じるようになったのかについて、有名な逸話を紹介しながら説明していきましょう。一九世紀初めには、白人の支配する三つの新しい大陸、すなわち北米、南米、オーストラリアが形成されつつあることは明らかになっていました。デイヴィッド・スタナード（David Stannard）がアメリカ版ホロコーストと呼び、他の研究者がもっとも成功を収めた史上最大のジェノサイドと呼んだように、何百万もの人々が犠牲になった結果、アメリカ大陸の先住民は征服されました。[4] 近代的な奴隷制は、アメリカ大陸に安い労働者を安定的かつ確実に供給しましたが、ある推定によれば、その過程で六百万以上の人々が死亡したとされます。もしも副次的損害《コーラテラルダメージ》、すなわちコミュニティや家族や暮らしを支えるシステム自体の破壊をも考慮して算定すれば、さらに数百万人を加えた数の人々が犠牲になったと推察されます。アジアやアフリカのほとんどの地はすでにヨーロッパ勢力に征服されたか、あるいはその支配下に置かれていました。そして、ヨーロッパ文明がそこまで支配的になったからこそ、アジアやアフリカの社会でも、芸術、思想や文学、スポーツなどの分野も含めて、ヨーロッパ以外のものを学ぼうとする人々はいなくなりました。

しかし、このような大規模なジェノサイド的変化が進歩の旗印として世界中で宣伝された一方で、啓蒙主義の掲げる価値観はヨーロッパの社会に深く浸透し始め、ヨーロッパの知的文化に影響を与え、ヨーロッパ社会の中心的な政治的価値観を変化させました。かつては「野蛮人（savage）」のキリスト教化がスペインとポルトガルの着手した略奪的な植民地支配を正当化していたのですが、それはむずかしい時代となりました。こうした事情から、一九世紀半ばには啓蒙主義的な価値観によって正当化されるような新しい理論が登場し、国家の政策的要求とヨーロッパで変化していく政治的価値とを橋渡しする役割を果たしたのです。

そうした新しい知的試みの中心的なテーマの一つが、アフリカとアジアを「再想像する（re-imagine）」という広大な試みでした。アフリカは暗黒の大陸であり、原始的で文化的にも知的にも未開の広大な土地であり、他方のアジアはかつて重要な文明を築いたとしても現在では疲弊し衰退し荒廃した文化しかないところで、どちらの大陸も若々しく精力的で武力の優るヨーロッパの手で革新されることを待ち望んでいる、という議論です。ヨーロッパ式のナショナリズムは、文明の新しい階層秩序《ヒエラルキー》に対抗するための技術として多くのアジア諸国で誕生したと言うこともできます。汎アジア主義という新しい意識も、同じように地位をめぐる争いの副産物でした。

新しい汎アジア主義の意識が初めて公けにされたのは、一九〇四—一九〇五年の日露戦争の時期で、とくに対馬海峡の海戦で日本軍が輝かしい勝利を収めたときでした。当時、日本もロシアも帝国としてのグローバルな影響力を拡大しようとしていました。ロシアは専制的な警察国家であり、日本は立憲王政と民主的に選挙された議会を備えつつも、西欧大国のモデルにならって支配できる植民地を求めていました。おそらくは日本も、西洋の軍事技術の魔術を修得して大国として世界政治の一員となる権利を得たと感じていたのでしょう。

しかし、この対馬海戦は他のアジア諸国には別の意味を持ちました。南アフリカで好戦的非暴力主義の技術を実験していた若き弁護士のモーハンダース・ガンディーは、ヨーロッパの大国にアジアの国が勝利したことに感動しました。植民地支配と戦った指導者としてインドネシアのスカルノ（Sukarno, 1901-1970）、ビルマのバー・モウ（Ba Maw, 1893-1977）、インドのジャワハルラール・ネルー（Jawaharlal Nehru, 1889-1964）も同様でした。[5] 実は、スカルノは日本の勝利の長期的な結果を予言し、すでに一九二〇年代に次のように語っていたそうです。

「日本とアングロ・サクソン諸国の間で大きな戦争が起こるだろう。たとえこの大きな戦いで日本が敗れたとしても、日本と他の帝国との紛争にアジアの抑圧された人々が感銘を受けるだろうと、スカルノは主張しました。大日本帝国と白人の支配する諸帝国とがアジアで衝突すれば、エジプト、中国、インド、インドネシア……にも解放への機会が訪れ、これらの国々が指導的な役割を負うことになるにちがいない」[6]。

ギータ・ダルマーパル（Geeta Dharmapal）は、スバース・チャドラ・ボース（Subas Chandra Bose）も一九〇五年の日本の勝利に衝撃を受けた一人で、だからこそ、第二次世界大戦中に日本との同盟によってインドの解放闘争を進めようと決意したと論じています。[7] 当時の英領インドの首都カルカッタでも、日本海軍の勝利を祝う民衆の動きが起こりました。これについてはあまり研究されていませんが、私も子どものときに耳にした、年配の人々の生き生きとした記憶であり伝説でした。[8]

Ⅱ

悲しむべきことに、これらのインド人が理解できなかったのは、日本が世界大国の新しい地位を獲得し、国際関係の大舞台で西欧の諸大国と肩を並べて近隣諸国の命運を決定する諸条約を締結できるようになったということは、日本の台頭が自国を植民地や半植民地的な地位に貶めていくと感じた韓国、中国、フィリピンなどの国々にとっては、まるで異なる意味合いをもたらしたのだということでした。結局、こうしたアジアの内なる矛盾は、汎アジア主義の独特のあり方の運命を決定していきました。もっとも、そこから生まれたいくつかのものは、その後も生きながらえて、美術・文学・美学のみならず、オルタナティヴな科学や技術、農村再興の様式、都市―産業のヴィジョンの根本的批判、ポスト産業社会の新しいヴィジョンの提起に至るまで、さまざまな領域で革新的な運動を芽吹かせてきました。私たちの時代に登場した新しいエコロジカルな世界観の初期の形も、このような新しい認識から生まれました。ジャガディス・チャンドラ・ボース（Jagadis Chandra Bose, 1857-1937）、梁漱溟（Liang Shu-ming, 1893-1988）、そして福岡正信（1913-2008）は見えない認識の糸で繋がれていたのです。[9]

こうした人々の声や彼らの醸し出した知的で心理学的な雰囲気は、アジアだけでなく、驚くべきことに、死の舞踏のような第一次世界大戦に深く傷ついたヨーロッパでも、それまでにない反響を呼び起こしました。ヨーロッパとは違って戦場となる恐怖に直接的には晒されなかった北米にも、アジアの思想家たちは明らかに強い影響を与えました。このアジア主義の新しい波を新しく批判する議論も西洋に登場し、西洋の国民国家と南半球における西洋の爪痕だけでなく、近代ヨーロッパ文明とその真髄にある暴力性と無慈悲さに批判の矛先が向けられました。かつてのアジアで改革をめざし社会を批判的に捉える人々が人間解放に役立つと考えた啓蒙主義的な価値観と近代的な科学技術の神格化も、こうした批判の対象となったのです。当時のヨーロッパの多くの知識人や活動家や研究者たちには、それこそが説得力を発揮しました。

そして、アジアの近代化をめざすそれまでの試みには欠陥があったと指摘されるようになりました。たとえば、スリランカの思想家で芸術史の大家であり、ヨーロッパ近代を痛烈に批判したアーナンダ・クマラスワミ（Ananda Coomaraswamy, 1877-1947）は、そのような試みは「異常な」文明についての下手なまねごとにすぎないと喝破しましたし、多くの知識人の集まりでは「伝統（tradition）」はけがらわしい言葉ではなくなりました。クマラスワミは大文字の頭文字をつけ単数形でTraditionと記述しました。これは、保守的で排外主義的な伝統ではなくて、東洋と西洋の双方について異端の立場に立つ学者のとらえた「伝統」だったのです。[10] 西洋式の競争に参加して西洋に打ち勝とうとし、その過程で打ちのめされてしまうのではなく、今日のアジアでは多くの学者が、アジアにあるいくつもの文化を互いに結びつけ、アジアの多様な精神的遺産というものを語っています。

一九二〇年代より前にモーハンダース・カラムチャンド・ガンディーは露骨に人種差別を行う警察国家であった南アフリカで独自の好戦的非暴力論を確立し、イギリスの植民地支配に対抗するためにインドに戻ってきていました。[11] 第二次世界大戦の勃発後、かつてはヨーロッパ近代が新しい普遍主義を生み出すと夢見ていたラビンドラナート・タゴールは、この夢は誤りにすぎなかったと語り、文明のグローバルな危機を説きました。彼が亡くなる数週間前のことです。[12] 同じように、尊敬された芸術家で作家でもあったアバニンドラナート・タゴール（Abanindranath Tagore, 1871-1951）は、ヨーロッパ式の絵画の描き方に背を向け、芸術についての自らの教育方法も拒み、そのかわりにインド、中国、日本の伝統芸術に新しいインスピレーションを求めました。

地政学的なアジア主義の理念が再発見され転用されていく過程で、「一九五五年のアジア・アフリカ諸国による」

バンドン会議の開催のような努力もなされましたが、アジアの政治的統一という理念はそれ以上のものにはなりませんでした。国益を最優先する国民国家システムの論理と、超国家的なものへの最低限の忠誠心と国家主権の縮小を必要とする汎アジア的な政治共同体の論理は、ついに現実的に結びつくことはありませんでした。アジアはまさに多様であり、多文明的な存在です。アジアには、統一的なヨーロッパ文明のような一体感をもたらすものはありません[13]。

そうだとすれば、アジアというアイデンティティーへと情熱的に向かわせた地政学的な条件が変化すれば、共通の政治的なアジェンダを抱えて緩やかな秩序を構成する共同体としてのアジアという認識は消えていくしかなかったのでしょうか。アジアというアイデンティティーの共有を論じたかつての著作は、的外れで無意味なものだったのでしょうか。誰よりも勇敢で思慮深い自由の戦士や優れた知識人が掲げたアジア主義は、便宜的な神話にすぎなかったのでしょうか。おそらく、頑固なリアリストが嬉々としてそう信じているのとは異なって、そうした努力には確かな意味があったのです。その理由を述べましょう。

まず、どのような社会も文化もユートピア的なビジョンなしには成り立たちません。それらのビジョンが実現されなければならないからではなく――そもそも、実現されたビジョンというものはしばしば悪夢のようなものになりがちものなのですが――、望ましい社会についてのいくつものビジョンが競合していないと、社会を未来に向けて開いていくことができないからです。現在生きている人々のためにも、未来の世代の人々のためにも。

過去一〇〇年ほどの間、アジアという概念を使って考えることは、自己を超越する手段であり、狭量なナショナリズムを抑制する方法でした。これは、グローバルな植民地システムの下で文字通りナショナリズムが押しつけられていった、いわゆるナショナリズムの時代には、とてもむずかしいことでした。一つの共同体としてのアジアという理念は、あらゆる限界にもかかわらず、ヒューマニズムを進める力を発揮し、標準的な形のナショナリズムの刃を鈍らせる、心理学的元型のようなものでした。この理念こそが、何百万もの人々の知的かつ文化的な地平を広げてきたのです。

地平が広げられた理由はもう一つあります。文化間の真剣な対話は、その対話に参加するそれぞれの文化の内なる対話を常に誘発します。そうした対話が自己を見つめ直すことを求めるからです。他の文化は、誘惑や可能性を体現し、恐怖を呼び起こします。自己や自己の世界観の境界となる壁が脆弱で外から侵入されるという恐怖に屈服してしまうと、対話を拒否せざるをえません。対話に加わるためには、現実的なものであれ想像上のものであれ、自分のそうした脆さと向かい合い、自分の強さや弱さをとらえる深い洞察力を身につけ、弱さを強さに変えつつ、見せかけだけの強さだったことを認めなければなりません。[14] 竹内好は、異なる言語を用いて間接的に表現しましたが、もっと洗練されて細かく上品な言葉でこの点を指摘しました。[15]

第二に、アジアという理念は、西洋の覇権に対する政治的、文化的、知的な集団的抵抗という理念からも生まれました。これは、トルコの心理分析家であるヴァミック・ヴォルカン（Vamik Volkan）の議論に照らせば、敵と味方を持つ必要性から自然に生みだされるものです。[16] 今日ではそうした抵抗の余地は縮小したかもしれませんが、その必要性は残っています。認めるか否かにかかわらず、何が好きかに合意するより、何が好きではないかに合意することのほうが人間には容易だということを、これまで嫌になるほど目にしてきました。アジアやアフリカがヨーロッパや北米に従うべき学部生や弟子であるかのように分類してしまう、人種的な階層構造や社会的ダーウィニズムを体現した植民地主義の理論を否定するために、アジアという理念はさまざまな形で使われてきました。創造的な知識人や芸術家がさまざまな抵抗の理念から植民地主義に対する真剣な批判を提起したのですが、彼らは服従させられてきた社会や周縁に押しやられた文化に新しい尊厳を与えながら、国境を越えた新しい対話のあり方も開拓してきたのです。[17] 自覚的に、西洋の知的文化と大学システムを媒介せずに、アジアの異なる伝統が直接的に触れ合えるような対話も試みられてきました。たとえば、農村に建てたタゴール国際大学、ヴィスヴァ・バラティ（Visva-Bharati）は、そうした試みとして有名です。

アジアと銘打ったこれらの反抗的な理念の中には、頑固に国家主義的なものもあります。今日のお話でもこれまでの私の論文でも、ヨーロッパ式の、つまり［近代国際政治の土台となった］ウェストファリア体制の下の国民国家というものが、アジアやアフリカには適合しないのではないかという疑問を提起してきました。そもそもの論理に照らして、通常の国民国家は、国家と社会の間に立ちはだかり、国家の統制を免れてしまう文化的なものの存在、たとえば宗教やカースト、平和主義や無政府主義を掲げる思想集団や政治的信念の体系について強い警戒感を抱きます。しかしながら、単に現実の国民国家から成る地政学的なアジアを思い浮かべるときでさえも、実存するアジアへの認識は昔ながらのコスモポリタニズムの理念を深め広げていくのです。[18]

第三に、近代ヨーロッパは啓蒙主義的な価値観によって文明的な一体性を示してきましたが、アジアはもっと多様な文化的・社会的空間です。アジアではしばしば一つの政治的空間を複数の文明が共有せざるをえず、より同一的な文化の中では考えられないほどに、文明間のコンタクトゾーン（contact zone）で新しい形の創造性が生み出されてきました。南アジアと東南アジアは、いくつもの文明のコンタクトゾーンが直接的に生み出したさまざまな文化の事例です。

その最たる事例が、標準化された国民国家のモデルに当てはまらず、多様性を極めた国家を生み出したインドです。千二百もの言語、約七万ものカースト、三億三千万以上の神や女神、主立った世界宗教の独特な宗派を内包し、三十もの公用語が認められている国は、外国の人々にはもちろん、国内で憤慨する指導者たちにとっても大いなる謎です。何世紀もの間、そういう驚異的な多様性とともに暮らしてきた社会には、著しい違いと矛盾のなかで生活する能力が備わっています。［メキシコにおける革命派の］サパティストなら、他者の他者性を受容するような学びだと表現するでしょう。インド人はきわめて多元的な環境に暮らしているだけでなく、個々人も多元的な人間だと心理学的に解釈できるとアラン・ローランド（Alan Roland）のような心理分析家は主張しますが、だからこそ事態はさらに複雑に見えます。[19]

ますます同一化していく世界の中でインドがこのような遺産を活かしていけるのかどうかは、別の問題です。なぜなら、アジアの全域ですでに痩せ衰えたヨーロッパと北米の近代性のモデルを模倣する必死の試みが推進されていますが、それとともに病理的な現象としてとらえどころのない虚無的な暴力、甚大な環境破壊、社会関係の物象化、生命からの神聖性の剥奪などが起こっています。そして、ほとんどのアジア諸国が、今日のヨーロッパと北米の姿を未来のモデルに掲げています。西洋の支配に対する抵抗手段として磨かれてきたアジアという理念が、アジアの未来をヨーロッパに譲り渡す見方に呑み込まれてきています。

私ならこう言います。多くのアジア人が、りっぱな人生を終えるとき、死後の世界の天国に行きたいとは望まなくなっています。彼らが行きたいのは、なんとニューヨークなのです。

私の話も終わりに近づきました。もう一点だけ指摘しておきましょう。幸か不幸か、早々と共同体、運動、文化の消滅を宣告してきた社会科学者や歴史家のリアリズムに潰されずに、何とか生き延びてきた「打ち負かされた正義（lost causes）」の宝庫というべきものがアジアには残されています。この大陸は、内なるものの間で続く、目には見えない、暗黙の、静かな対話とともに生きる方法を保っているようです。日本、中国、インドは今や脱アジアの夢を描いているかのようですが、三国の間では千年以上も前から対話が続けられてきました。ぼそぼそというよく聞き取れないような声のやりとりで、そんなものに我慢できない現代の人々には無いに等しいものかもしれませんが。今日の世俗的な時代に生きる人々には残念至極ですが、こうした対話は仏教の言葉で行われてきたのです。しかし、残酷に傷つけられ、荒廃させられ、神聖性を剥奪されてきた世界においては、もしかすると、そのような対話が新しい装いと新しい言語とともに再び姿を現すのかもしれません。

まとめ

多様な政治的単位から構成されるアジアの広がりは、単に地政学上の「地域」というだけにとどまりません。また、数々の「主観性（subjectivity）」を抱く人々が隣り合い、しばしば互いに衝突しかねない恐れのある地域でもあります。こうした主観性は問題を引き起こす原因ともなりますが、それでも重要な意義を持っています。確かに、主観性の名の下に人間は価値あるものを破壊してきましたが、同時に、主観性ゆえに人間的に価値のある活動も行ってきたからなのです。とはいえ、一九世紀半ば以降、社会知識の科学化が推奨され、大規模な人間集団の効率的統制が求められ、そうした期待に応えるように、国際関係や戦略研究、さらに紛争解決技術の唯一の基盤として、地政学こそが最優先される時代が続いてきました。今日でも、地政学が神の摂理に等しい扱いを受け、グローバルな常識と政治的なリアリズムを支えています。

しかし、地政学的なリアリティの横には、広大な未知の領域が横たわっています。その領域では、集団的な情念、共有された幻想、昔から引き継がれてきた自分たち自身のアイデンティティーが大釜のようなものの中に投げ込まれ、その中で人間的な対立を招きかねない恐怖、不安、欲望、希望、望ましい未来のビジョンなどがふつふつと煮立っているような状態です。まさにその煽りを受けて、国際政治や政治社会が歪んだ方向に逸脱していくという結果を招いています。このように、地政学上のアジアと主観性の領域のアジアという二つのアジアの間を揺れ動きながら、グローバルな舞台の上でアジアの役割が決定され、「想像のリアリティ（magined reality）」としてのアジアの輪郭が描き出され維持されてきました。けれども、ベネディクト・アンダーソンがそのナショナリズム論で提起したように、堅固な「国民」の存在を根拠とする「想像の共同体」が国家主義的な目標を追求できるのであれば、「再想像された大陸」という理念も、行き過ぎた《ハイパー》ナショナリズムや排外主義に抵抗する「対抗的アイデンティティー」とオルタナティヴなビジョンを生み出すことができるのではないでしょうか。

（翻訳＝竹中千春）

脚注

1 Rabindranath Tagore, ***Gora*** (1910), in ***Rabindra Rachanabali*** (Calcutta: Visva-Bharati, 1986), Vol. 3, pp. 375-665. 近年出版された英語版は、出版直後にタゴールも協力した英訳版よりも良い翻訳である。See Rabindranath Tagore, ***Gora*** tr. Sujit Mukherjee (New Delhi: Sahitya Akademi, 1998) with an Introduction by Meenakshi Mukherjee.

2 Sisir Kumar Das, 'The Great Victim: Gandhi and Bengali Literature', ***Social Science Probings***, June 1985, 2(2), 131-48. Das は Pramathanath Bishi, ***'Rabindra Sahitye Gandhi Charitrer Purbavassh'***, ***Rabindra Bichitra*** (Calcutta: Mitralaya, 1945), pp.89-103 に学んで本論文を執筆したと言う。

3 Benedict Anderson, ***Imagined Communities: Reflections on the Origin and Spread of Nationalism*** (London: Verso, 1983).［日本語訳は、ベネディクト・アンダーソン『定本 想像の共同体――ナショナリズムの起源と流行』白石さや・白石隆訳、書籍工房早山、2007年］

4 David E. Stannard, ***American Holocaust: Columbus and the Conquest of the New World*** (New York: Oxford University Press, 1993); and Ward Churchill, ***A Little Matter of Genocide: Holocaust and Denial in the Americas, 1492 to the Present*** (San Francisco: City Lights, 1997).

5 Gerhard Krebs, 'World War Zero? Reassessing the Global Impact of the Russo-Japanese War in 1904-5', ***Asia-Pacific Journal Japan Focus***, May 2012, 10(2), Issue 21, http://apjjf.org/2012/10/21/Gerhard-Krebs/3755/article.html, accessed on 9 November 2016.

6 Ibid.

7 Ibid.

8 植民地として支配されていた社会の人々がいかに命がけで人種的・文化的な平等の証しを求めたかを示すできごととして思い

浮かぶのが、当時のインドで新しい伝説となった事件である。一九一一年にカルカッタで開催されたインドサッカー協会主催のIFA Shield の決勝戦で、モーハン・バーガン（Mohan Bagan）というインドのチームがイースト・ヨークシャー・レジメント（East Yorkshire Regiment）というイギリスのチームに勝利を収めた。その衝撃を簡単に記述しているのが、Ronojoy Sen. ***Nation at Play: A History of Sport in India*** (New Delhi: Penguin/Viking, 2015), pp. 102-5. ゴールキーパー以外は裸足で走っていたインド人のチームが、りっぱな装備をつけたイギリス軍人のチームと戦って勝利したことに、人々は歓喜したのである。誇張に聞こえるかもしれないが、カルカッタ在住のイギリス人の家庭はこれに強く反応した。彼らはドアと窓を締め切って、何日も外出しなかった。つまり、植民地主義は安定したシステムではなく、植民地支配を行う側も植民地支配される側も不安に脅えて防御的にならざるをえなかったのである。

9 これらの知識人がばらばらの事例ではなく、より大きな構図の中にある人々だと論じたのは、次の近著二冊である。Rustom Bharucha, ***Another Asia: Rabindranath Tagore and Okakura Tenshin*** (New Delhi: Oxford University Press, 2006); and Pankaj Mishra, ***From the Ruins of Empire: The Revolt Against the West and the Remaking of Asia*** (New Delhi: Penguin, 2012 and London: Allen Lane, 2012). グローバル問題についてのアジア的なパースペクティヴを意識的に追究してきた二つのグループを紹介したい。まず、ジョンソン・チャンの率いる上海の西天中土プロジェクト(the West Heavens Project)で、亜際学院(the Inter-Asia School)とチェン・カンシンの編集する学術誌『インターアジア・カルチュラル・スタディーズ(***Inter-Asia Cultural Studies***)』が共同で作業してきた。もう一つは、コリン・クマール（Corinne Kumar）の構想した女性世界法廷(the World Court of Women)だが、ベンガルールの女性NGOヴィモチャナ（Vimochana,「解放」の意）とアジア女性人権委員会（the Asian Women's Human Rights Council）が協力し、各所で定期的なパブリック・ヒアリングを開催してきた。

10 重要なことに、ガンディーが自らの師と考えた三人の思想家は、いずれも西洋の知識人であった。ソロー(Henry David

Thoreau, 1817-1862)、トルストイ（Leo Tolstoy, 1828-1910)、そしてラスキン（John Ruskin, 1819-1900）である。三人とも進化主義や進歩の理論には懐疑的であった。

11 二〇〇〇年代から二〇一〇年代の私たちには奇妙な例外だと思われそうだが、「好戦的非暴力（militant nonviolence)」あるいはサッティヤーグラハ（*satyagraha*, 非暴力市民不服従運動）を一九〇六年一一月二六日に初めて公に宣言したのはガンディーの同僚でイスラム教徒のアブドゥル・ガーニー（Abdul Ghani）で、その宣言を初めて出版した人はもう一人のイスラム教徒の同士ハジ・ハビーブ（Haji Habib）であった。実際に、これらは三人組の仲間だった。

12 Rabindranath Tagore, *Crisis in Civilization* (Shantiniketan, West Bengal: Visva-Bharati, 1950). おそらく一九四一年五月七日に行われた演説で、まさに彼の死の三ヶ月前にあたる。

13 こうした語り方をすると、二段階のアジア主義を説明しているような印象を与えるかもしれないが、わたしが気にしているのは、知識人の反応の政治的な特徴であり、その反応の時系列的な変遷ではない。ポストナショナリストの反応にも、超《ウルトラ》ナショナリストのものと同じくらい古いものがある。たとえば、対馬海戦での日本の勝利から四年も経たないうちに、一九一〇年にはガンディーが『インドの自治 (*Hind Swaraj*)』を刊行し、近代文明と近代の科学技術に内包される暴力を痛烈に批判したことを忘れられないだろう。［日本語訳は、M・K・ガンディー『真の自治への道——ヒンド・スワラージ』田中敏雄訳、岩波文庫、二〇〇一年］See Suresh Sharma and Tridip Surhud eds., *M.K. Gandhi's Hind Swaraj: A Critical Edition* (New Delhi: Orient Black Swan, 2010). また、タゴールの『ゴーラ』も一九一〇年に出版された。つまり、政治的なコンテクストとアジア人の自信のあり方によって、二つの反応は後ろ向きにもなり、影響力を持つものにもなった。そして、これらの反応とそれらの変種ともいうべき数々の反応も、外界に存在するだけでなく、内省を希求するすべてのアジア人の内なるベクトルあるいは潜在的な能力の中に存在していたと、私自身は考えている。インドにおけるポストナショナリズム（postnationalism）、すなわち「ナショナリズム後のナショナリズム」）についてのより詳しい説明は、Ashis Nandy, 'Nationalism, Genuine and Spurious: A Very Late Obituary of Two Early Post-Nationalist Strains in India', in ***Regimes of Narcissism, Regimes of Despair*** (New Delhi: Oxford University Press, 2013), pp. 1-18.

14 この問題は以下の文献でわかりやすく論じた。 Ashis Nandy, 'Dialogue as Self-Exploration', in ***The Other Self*** (New Delhi: National Gallery of Modern Art and Amsterdam: Stedelijk Museum Bureau, 1996).

15 Takeuchi Yoshimi, 'Asia as Method', in ***What is Modernity? Writings of Takeuchi Yoshimi***, ed. and tr. Richard F. Calichman (New York: Columbia University, 2005), Ch. 6.

16 Vamik Volkan, ***The Need to Have Enemies and Allies: From Clinical Practice to International Relationship*** (New York: Jason Aranson, 1988).

17 アジアという理念の出現に伴って、反抗的姿勢と自己肯定とが力強く魅力的に喚起される点について、Pankaj Mishra, ***From the Ruins of Empire: The Revolt Against the West and the Remaking of Asia*** (London: Allen Lane, 2012) .

18 わたしの抱くコスモポリタニズムの観念については、以下の文献を参照してほしい。Ashis Nandy, 'Time Travel to a Possible Self: Searching for the Alternative Cosmopolitanism of Cochin', in ***Time Warps: The Insistent Politics of Silent and Evasive Pasts*** (Delhi: Permanent Black, 2001), pp. 157-209; and 'Another Cosmopolitanism: Living with Radical Diversities and Being One's Own Self', Nelson Mandela Lecture, delivered under the auspices of the Bob Hawke Prime Ministerial Centre, the School of Law at the University of South Australia and Oz Asia Festival, at Adelaide on 21 September 2010.

19 Alan Roland, ***In Search of Self in India and Japan: Toward a Cross-Cultural Psychology*** (Princeton, New Jersey: Princeton University Press, 1991).

インドから多様性を考える

アシシュ・ナンディ
藤原 帰一

多様性は西欧のみに生まれた思想なのか?

藤原：ただいまご紹介にあずかりました藤原でございます。本日はナンディ先生の質問役、インタビュー役を務めまして、先生とのやりとりの後、皆さまからいただきましたご質問を紹介しながら先生にお伺いしていくというかたちで進めたいと思います。

ナンディさんはインドばかりでなく今、アジア一般で、知識人という言葉が一番ぴったりくる方です。いつもナンディさんのお話は大きな問題を提起してわれわれの頭を揺さぶってくださいます。そのナンディさんとお話をする機会を与えていただきましたことを大変感謝しております。

そこで最初にお伺いしたいことは、ご講演の中でも触れられた多様性、ダイバーシティということについてです。ナンディさんはそのインドの中の多様性のお話をもう繰り返しお話しになりました。この多様性を認める、つまりいろんな人がいる、いろいろな宗教がある、いろいろな民族がある、一つの社会のなかに多様性を認めるという考え方は、アジアにおいても西欧的な考え方、自由主義と結びついたかたちで展開されてきました。多様性の承認が西欧の考え方を受け入れることと同じ意味にされることもあった。またさらに申し上げますと、アジアには不寛容な、多様性を認めない考え方がある。ヨーロッパやアメリカには多様性を認める考え方や制度がある。この対照から多様性を認める欧米、西欧世界と多様性を認めないアジアという、かなり乱暴で、場合によっては偏見に近い見方がさまざまなかたちで当てはめられてきたと思います。

そこでお伺いしたいんですが、多様性を認めること、いろんな人がいることを認めることとは西欧的な考え方なんだろうか、それともインドの中、あるいは中国、日本の中に、それぞれの社会の中に多様性を認める制度や考え方があるとナンディ先生がお考えになるのか。その点をお伺いしたいと思います。

ナンディ：その質問には、少なくとも本日お話ししたことのある部分を詳細に述べることをお許しいただいて答え始めなければなりません。ヨーロッパには多様性というイデオロギーがありますが、特にそれぞれの多様性が深まって、支配的な文化価値及び共有されている政治文化を根底から変化させようとするならば、ヨーロッパは多様性とともに生きる力をもう持ってはいません。ヨーロッパは主要な多様性の多くを破壊してしまいました。そして、それから多様性のイデオロギーを広めました。というのはその時までに少ないながらも存在していた多様性が制御しやすくなっていたからです。それが差異です。

世界で最も世俗的な国と思われているフランスで、プロテスタントは追放されてスイスに逃避して、そこで今も時計を作っている人が多くいます。その人たちが作った時計をわれわれが身につけているわけです。かつてはもっと同質的なフランスだと確信していたのに、彼らは完全に世俗的となって、自由に多様性を認めて祝うことさえできるようになりました。これは現在、多文化主義と呼ばれています。それはひとつのイデオロギーです。それで、フランス人は多様性のイデオロギーを展開する力を持っていますが、多様性とともに生きていく力は持っていません。

宗教施設において見られる多様性

ナンディ：休憩中に竹中千春さんと話しをしている時に、私たちは日本の結婚式のような別の種類の多様性——皆さんはそれを多様性とは呼ばないでしょうが——の例を出し合っていました。あなた方日本の皆さんは、アルプスの山のどこかにある壮麗な教会に行って、日本式ではないけれど個人的にはとても魅力的に見えるウェディングドレスを着て、自分たちが理解できない言葉によってキリスト教的な結婚式を挙げに行くことができます。それはそれでいいんです。しかし、誰も敢えてしようとしませんが、神道や仏教儀式による結婚式を再度行うことを期待している人はいませんし、結婚式は裁判所で合法的に承認されなければいけないと信じている人もいません。日本は比較的にとても同質性の高い社会で、社会生活の他の領域においては島国的な兆候を見せるにもかかわらず、このような状態です。日本の女性はヨーロッパ人が着ている婚礼衣装が好きなのでそのような結婚式は人気がある、とある日本の学者は私に語ってくれました。きっとそうなのでしょう。しかし、それは私が伝えたいことの些細な一例です。日本人は多様性に寛大であることができますが、深いところでは落ち着かない気持ちになるのです。

私は竹中さんにボンベイの大変混雑した地域の教会の例を示しました。現在キリスト教徒はインドの人口の約二・五％しかいませんが、特別に神聖だと思われているこの教会では巡礼者の九〇％近くは非キリスト教徒です。巡礼者は旅行者としてではなく、祈ったり誓約するためにその教会に行くのです。

たぶんもっと効果的と思われる例をひとつ挙げてみましょう。スリランカで二つの大きな民族社会を成す仏教徒のシンハラ人とヒンドゥー教徒のタミル人との間で内戦が進行していた時、私がスリランカを訪れている間に友人のタミル人のひとり――有名な知識人で人権活動家でもあります――が、私を仏教寺院の複合施設のいくつかに連れて行ってくれました。私が最初に気がついたことは、仏教寺院のそれぞれが構内にヒンドゥー寺院も持っているということでした。そしてこれらのヒンドゥー寺院はいつも人々で混雑していました。私の友人が言うには、ヒンドゥー寺院にお祈りに来ている人のほとんどはシンハラ人で、大半がタミル人反乱軍との戦いで前線に行く兵士の親ということでした。友人が私を何人かのシンハラ人巡礼者に紹介して、なぜ寺院に来ているのかを私に代わって尋ねました。彼らの大半は、自分たちの息子が北部でタミル人のテロリストと戦っており、息子たちの安全を祈願して、息子たちがもし生き残っているなら寺院にお金や金銀を寄進することを誓約しに来ていました。彼らは、仏教の神様たちというのはあまりに来世的で禁欲的なために信者の声に耳を傾けてくれない、一方ヒンドゥーの神様は適切な誓願を持っていけば信者の力になってくれる、と言います。

それこそまさに深い多様性と生きるということです。同様の例はアジアやアフリカのいたるところにあるわけです。政治人類学者である私の同僚の一人が、ラジャスタンで信仰療法の伝統で知られているあるモスクを見つけました。モスクの導師は、自身が有名な活動的信仰療法士でもあるスシーラ・ラワット（Sushila Rawat）というヒンドゥー教の女性であることがわかりました。あらゆるコミュニティに属する人々が、癒されようとモスクの彼女のもとにやってくるのでした。それもまた根源的な多様性と生きているということです。

アジアの国における多様性

ナンディ：アジアの多くの伝統的な社会ではいかにして広範な多様性と一緒に生きていくかを知っています。アジアだけではありません、世界の他の至るところからも実例を提供できます。かつて私は、住民に言わせるとおよそ三〇〇〇年間も多くのコミュニティが平和に暮らしてきたという、南西インドのある都市の心理学的伝記を作ろうと試みました。これらのコミュニティの人びとに長い期間の面接調査を行った結果、彼らが政治的に正しい回答をしようとしているにもかかわらず、皆が他のコミュニティに対して兄弟のような感情を表出している訳でもないことがはっきりわかる、そういう現実に直面せざるを得ませんでした。しかし、彼らはまったく普通に暮らしていました。その都市は、多かれ少なかれ六〇〇年の間に小さな暴力事件はあっても、殺し合いをするというような事件はないという欠点のない記録を持っています。住民たちは、三〇〇〇年の間、深刻な暴力は何もなかったと主張します。しかし私たちはそんなはずがないと考えます。ただはっきりしていることは、コーチ（以前はコーチンと呼ばれていた）という都市が伝統的に平和な場所であるという神話は、その都市の文化の中に強く埋め込まれているということです。それは生きている伝統です。それを記憶に残らないようにはできないのです。

　このことはインドに特有なことではありません。タイは仏教国で仏教王朝が統治しています。しかし、バンコクの王宮近くに、何世紀も前にインド東部から連れてこられたバラモンたちの居留地があります。このバラモンたちは今でも王家における誕生、死去、結婚そして戴冠式に伴う宗教儀式を演じています。もっと別の例も示すことができます。それらの例は、ある社会が現にある伝統的な多様性の形態を破壊しようとして、その後に出現する公式的で、イデオロギー的な多文化主義のようなものとは違います。

藤原：ナンディ先生、ありがとうございました。私は今、多様性を認める制度は西欧のものじゃないかとちょっと挑発的なことをお伺いしたのですが、ナンディ先生から波のように広がるお言葉をいただきました。そして、ヨーロッパには多様性を認めるという観念があるかも知れないけれど、その他面では、まさにヨーロッパこそ多様性を壊してきたところとも言うことができるわけですね。言うまでもなく宗教改革の時代は非常に厳しい争いがあってプロテスタントをフランスが迫害していくわけですね。そういった多様性の破壊をしてきたのが、これがヨーロッパじゃないかということです。

そもそも日本では、結婚を教会でやってお葬式はお寺でやるという、ずいぶんバラバラで、取り方によってはダイバーシティいっぱいの社会にわれわれは生きているわけです。これがインドの場合でもクリスチャンじゃないのに教会に行くとかいうところから始まって、今お話にあったスリランカ、ここはタミル系、シンハラ系、二つの民族で非常に厳しい内戦が戦われたところです。今は政府の制圧というかたちで内戦が一応は収束したということになっていますけれども、ここでは多数派は仏教、そしてタミル系はヒンドゥー。宗教の違いだというふうにわれわれは話しているわけですが、実際、私も授業でそう言います。ところがふたを開けてみると仏教徒なのにヒンドゥーのお寺に行く。おかしな話ですね。どうしてかというと、どうも仏教のほうは仏さまがあまり言うことを聞いてくれない。ヒンドゥーのほうはちょっと身近で大変信徒に対していろいろ答えてくれるらしい。ずいぶんユーザーフレンドリーな宗教ですね。われわれが戦っている相手がヒンドゥーだから、だからヒンドゥーの寺院に行くというのは、言ってみればその土地の中のダイバーシティのお話ですね。

そして、今お話にあったコーチというところですね。これはインドのケララというところにある地域ですが、いろいろな方々が住んでいらっしゃって民族的にも多様なところ。だけれど三〇〇〇年の歴史を持ちながら交戦がなかった、戦闘していない。別に西欧化が進んだというわけじゃない。だけれどその暴力を使わないで共存する歴史があった。このように、その西欧から伝わってきた多様性を認めるということではなくて、むしろその土地の中にある多様性の承認が得られたんだ、そういうお話でした。そして今、マルチカルチュラリズム、多文化主義という言葉を使うけれど、それは多様性を破壊した後で出てきた言葉じゃないかという、大変鋭く、西欧化と多様性の承認を結び付ける議論を真っ向から否定する、ひっくり返す大変魅力的なお話をいただきました。

宗教原理主義運動とローカルな宗教

藤原：そこで次の質問になります。ヒンドゥーの対極には、イスラムを強く信じる人々、イスラム教徒の中でも急進的なラディカルな人々がさまざまな運動を展開し、そしてイスラムではない宗教を否定するばかりではなくイスラム教徒の中でもきちんと信仰していない人を排除する、そのような運動があります。他方、私の誤解かもしれませんが、現在のインドの政府、モディ政権はインド人民党という政党の下でヒンドゥーを中心としたその主張を強く行っています。

ここでは宗教に基づいた、あるいは宗教をもっと過激に急進的に表現する運動が政治に現れ、それがお互いに対立するという状況があるように思います。インドでもそうだと思いますし、あるいはタリバーンが活動をしているパキスタン、カラチも含めて、このような宗教を基本にした急進主義の台頭について先生はどのようにお考えでしょうか。

ナンディ：新しい種類の過激派が出現してきて、その圧力がいたるところに見られます。その過激派は、シームレスな、継ぎ目のない更に純粋なヒンドゥー主義、継ぎ目のない更に純粋なイスラム教や仏教を要求します。その同質性に対する要求は近代的な考え方――近代の国民国家ばかりでなく近代意識それ自体への要求――と一層一致するように見えます。それはアジアに独特なものではありません。例えば、ブラジルでは約五〇年前まで六〇〇の異なる言語が実在していました。その時点では、人口の約八〇%が村落に残っていて、二〇%が都市に残っていました。一九九〇年までにはブラジルは約八割が都市化して、六〇〇の言語の多くは聞かれなくなり、もう話されなくなっていました。多様性は、同質性及び同質性がもたらす効率性や組織化、伝達の良さを快く感じる都市での産業化された生活様式とは両立しないようにみえます。

加えて、近代的な生活、近代的な移動性、近代的な絶望感と一層両立するような宗教の新しい福音のあり方に対する要望が頻繁に起きます。ラテンアメリカ全域で、またアジアのいくつかの部分も同様に、確立されていたカトリックとプロテスタントの寺院が衰退しつつあります。インドにおいても同様で、一五〇〇の言語――近年の住民調査によると、現在おおよそ一二〇〇の言語が残っています――が、四〇年も満たないうちに約三〇〇になるということです。

もしもあなたがベンガル人で、そして西ベンガルからはるばるケララに仕事で行くとすると、ケララの言語であるマラヤラム語の言葉を理解できません。ケララの寺院儀式や祭りに参加することもできません。そして、ケララ出身の人がベンガルに行く場合には、彼あるいは彼女がほとんどのベンガル人と同じ宗教であったとしても、同じようなことが起こります。要するに、ヒンドゥー教がいまだに有力なローカル信仰であるために、このような多様性が存在するのです。誰もが彼の／彼女の個人的な神／女神を、家族の神／女神を、村落の神／女神を、そして宗教としての神／女神を持っています。宗教的な文献や古典を除けば、インド全土をカバーする汎インド的なヒンドゥー教と呼べるものはないのです。

同様に、汎インド的イスラム教や汎インド的キリスト教というものはないのです。イスラム教がカーストを認めていないにもかかわらず、一九五〇年代の初めにキングズリー・デイヴィス（Kingsley Davis）がインドのイスラム教徒の間に一五〇近いカーストを確認しました。インド人の信仰は大半がローカルなもの、コミュニティを基盤としたもの、カーストに特有のものです。確かにそれぞれの信仰の汎インド的で、たぶんに普遍的な解釈というのはあるのですが、それらは小さなポケットの中で生き続けているのです。そして、たとえ原理主義者たちがローカルな信仰のシステムを上書きしようとしても、それらは同じように生き続けていきます。

しかしながら、ローカルな信仰の存続にはますます重圧がのしかかっています。国内的にも、国際的にも移動が格段に増加しており、そしてそのことは、次のようなことを意味します。あなた自身のヒンドゥー教、イスラム教、キリスト教を、あなた自身にとってだけではなく新しい環境であなたの周りにいる同じ宗教を持つ他者にとっても道理にかなって、また正式な宗教のように見える形式で、持ち運んで行かなければならないのです。ヒンドゥー過激派、あるいはより適切にはヒンドゥー民族主義者と呼ばれている今日最も激情的なヒンドゥー教徒は、ヒンドゥーの多数派からはヒンドゥー教の異種とみなされています。なぜなら、ヒンドゥー教は伝統的には何千もの緩く組織化されたあるいは組織化されていないカルトやセクト、運動や儀式や実践を伴った緩い信仰体系だったからです。インドに留まっている多くのヒンドゥー教徒は、多分ヒンドゥー至上主義（Hindutva）やヒンドゥー民族主義を独特のカーストあるいはセクトと見ています。というのは、彼らは自分たちのヒンドゥー教をローカルな信仰が連合されたものと見ているからです。ヒンドゥー至上主義は彼らにとっては他の「堅苦しい」宗教、つまりキリスト教やイスラム教以上に未知の、近代的に組織化された宗教なのです。しかしながら、彼らの多くもまた、宗教の正しい本質を持っていない、ヒンドゥー教に本質的にふさわしくないものが何かあると感じるようになってきて、そのために人々は原典に戻り、ヒンドゥー教の核心としての原典の既成の解釈に戻っているのです。つまり、解釈とローカルな実践に対する理解の範囲が狭くなって、ヒンドゥー教が儒教や神道などの東洋の他の信仰とともに伝統的に保っていた親近性を持つようになっています。

宗教の変化によって生じる矛盾

ナンディ：ずっと以前にマックス・ウェーバーは、プロテスタントのキリスト教と結びついた倫理的枠組みが産業化、都市化と矛盾せず、また資本主義や近代化の発展とも矛盾しないという有名な論文を書きましたが、この宗教と政治経済の関係が植民地社会で多くの社会改革家や知識人によって直観的に理解されたのです。ダンマパーラ（Dhammapala）の仏教は仏教界における同種の変化のもう一つの例で、多くのスリランカの知識人たちが、持続する民族の宗教的な緊張とスリランカにおける長い内戦はダンマパーラの責任だとまともに非難します。南アジアにおけるイスラムと東南アジアにおけるイスラムにおいてさえもそれと並行したプロセスがあります。ローカル版のイスラム教を主流から排斥して非合法化するという一貫した傾向があります。幸いなことに、原典への徹底した忠誠へと向かう運動と非アブラハム的信仰をセム族化（一神教化）

する運動に対して抵抗する例もあります。

前マレーシア首相マハティール・モハマドは、ケララ出自のマラヤラム語を話すインド系ムスリムの生まれです。マハティールは、マレーシアの政治においてはマレーシア人ムスリムと結婚するだけでは十分ではない、彼がマレーシア生まれであることを彼の名前が伝えるようにしなければならないと思ったわけです。マハティールという仏教徒の名前を付け加えことで、彼はマレーシア人ムスリム、すなわちブーミプトラ（土地の子）が加護していると暗示しているのです。同じように、マレーシアの国王は皆ムスリムですが、国王たちの正式フルネームや肩書は仏教もしくはヒンドゥー教起源であることを誇示しています。

そして、もしあなたが自分自身の宗教的信心あるいは宗教的信心の深さについて疑いを持つとすれば、あなたは二重の意味で原典に縛られることになります。私が数年前に南アフリカのダーバンで経験した興味深いお話をしましょう。

私は女性と暴力を主題とした公聴会のためにアジア女性の人権団体が設置した女性法廷に陪審員として行きました。その催し全体は、著名な社会学者で知識人、またネルソン・マンデラの伝記作家として知られているファティマ・ミーア（Fatima Meer）が指揮するボランティア団体によって運営されていました。ファティマ・ミーアは、しばらくの間は南アフリカの閣僚も務めていたました。そのミーアのボランティア団体の中に、三五人くらいの若い女性がいました。彼女たちは皆ヒジャブ（イスラムの女性が頭や身体を覆う布）を被って黒い服を着ており、西欧的な服装の二、三人以外は皆アラブの服装でした。そのうち二人はもちろん黒色の南アフリカのドレスを着ていました。すぐに気づきましたが、彼女たちのほとんどはインドの西海岸出身で、二人を除いて皆グジャラート語を話していました。彼女たちは、私がグジャラート語を話すのがわかり喜びました。そして訴訟手続きに出席する予定の親たちに私を紹介したいといいました。公聴会の日に親たちが来ました。五〇～六〇人はいたに違いありません。私が驚いたことに、その母親たちの誰もヒジャブを被っていませんでした。彼女たちは、黒いスーツやイスラム教を連想させる服装を誰も身につけていませんでした。ボランティアの母親たちの半数はサリーを着てタバコを吸っていました。

あっけにとられて、この変則的な服装の理由を見つけ出そうとしました。インド人の友人を通して次のようなことがわかりました。ファティマの若いボランティアたちは、自分たちの親がコーランをアラビア語で読んでもアラビア語をそれほどよくわかっていないと感じていました。一方ボランティアたちの多くは若い時からコーランを英語で読んできており、みな英語は非常にうまいわけです。だから、若いボランティアたちはコーランが語っている内容を正確にわかっていると思っていました。この話は明らかに矛盾した話しです。

藤原：大変豊かなお話をお風呂に浸っているように聞いてしまうのですけれども、これをまた再構成しながらお話をちょっと繰り返してみます。もちろんその宗教の過激な信者が争うということが起こっている、その通りだ。これは近代の要求に応えたものだという。この近代の要求は何かということなのですが、例えば都市化。都市が大きくなる、人が移動する、宗教の在り方が変わってしまう。宗教は本来ローカルなもの、その土地のもので、自分、家族、村、それぞれによって宗教の在り方が違うのがむしろ普通。インド全体のヒンドゥー教なんてものはない。その意味ではインド全体のイスラム教なんてものもない、その土地に根差した宗教の在り方というのが原形としてある。ところがどんどん都市化が進んできます。人が移動する、自分の村に住んでいるということがなくなっていく。そうしますと宗教は大きな危機を迎えるわけですね。そのような都市化、近代化の進展とともに宗教の意味がなくなるように見える。ところがそうならない。まさに人の移動が激しくなり宗教の在り方がこれまでのような在り方でできなくなるからこそ、逆に原典に忠実な宗教を取り戻そうという運動が起こってくる。

ナンディさんはマックス・ウェーバーを引かれました。マックス・ウェーバーの『プロテスタンティズムの倫理と資本主義の精神』ですね。ウェーバーは資本主義の精神をプロテスタントと結びつけて考えました。プロテスタントはもちろんキリスト教の中で出てきた新しい流れで、宗教の中でも聖書により忠実である。そのようなその宗教の中の変化がいろんなところで起こってくる。実態としてはしかし、純化された宗教の通りに社会を変えることにできるわけじゃない。

例えばマレーシアの首相のマハティール、有名な人ですが、マハティールという名前はこれはパーリ語からきたものでヒンドゥーなわけですね。そのようなごちゃごちゃいろいろな宗教が入り組んだところで普通生きているわけですけれども、しかしテキストに忠実な宗教を求めるという流れが出てくる。南アフリカの会合においでになったときに集まった方々はみんなヒジャブを着けている。ところがお母さんを見ると、ヒジャブを着けていない人もたくさん、そちらのほうが多いぐらい。なんでそうなったのか聞いたところ、お母さんはコーランをアラビア語でしか読んでいないのだ。私は英語で読んでいるから、だから分かるんだと、話は逆みたいな気がしてくるのですけれども。このようにその宗教の中の変化が生まれ、それが人が移動してもアクセスできる。テキストに忠実だということは、結局その土地に根差した宗教というよりは自分と経典がぴったりつながることができる。その意味でかえって純化していくのだというお話でした。

この多様性のお話をこれまでお伺いしてきたんですが、ここで本日のテーマでもあるアジアという言葉に少し移っていきましょう。

（聴衆の中から質問が出る）

Mさん：次に進んでいただけるのはありがたいんですが、今、広くお話をいただきましたが、最初に藤原先生が質問されたことについてのお答えは伺っていないので、最初の質問のお答えの話をしていただけないでしょうか。藤原先生が今のインドの宗教と政治の問題を質問されましたよね。その答えは出ていないような気がするんです。

藤原：そうですね、広いかたちでお話になったと思いますが、ご提案ですので、もう一回伺いましょう。

インドではイデオロギーは表層的だ

ナンディ：率直に言いまして、インドの状況を理解するために最初に一般的な点をお話ししておきます。つまり、インドのような国では、信仰が死んでいないので、イデオロギーは普通は表層だけのものです。結果として、政治的なイデオロギーは第二義的なものに見えます。結果はこうです。いったい彼らはイデオロギーを持っているのだろうかと私たちに疑いを抱かせるようなとんでもないことが起こります。共産主義を実践して、三〇年～四〇年も共産党やほかの党に所属してきた人で、いまになって突然ＢＪＰ（インド人民党）に入って熱烈な愛党者になる人もいます。同様に、社会主義者の政党のどれかに入っていた人で、今はＢＪＰに加入した人もいます。その反対も時にはあるわけです。ＢＪＰから別のイデオロギーの傾向へと大きなジャンプをする人もいます。このようなことは、イデオロギーをもっと深刻に考えている国においては不条理なことだと思われるかもしれません。しかし、インドでは誰も憤慨しません。一見したところは非常に攻撃的で硬直したような新しいイデオロギーがたくさんできていますが、実践においては極めて柔軟です。

現代政治へポピュリズムが入ってきて、思いつきみたいなイデオロギーの柔軟性はより一般的で、人々が受け入れやすくなりました。あなた方も政治家が深刻なイデオロギーをまったく持たないことを期待していると思います。そして、政治家たちが何をやっていても、イデオロギーの断片を公に示すことによりそれを正当化するのを期待しています。これはグローバル化現象の一つで、アメリカのトランプ大統領はインドのモディ首相と何の違いもありません。これはヨーロッパにおける新しいポピュリストの扇動者もトランプ、モディ両氏と何ら違いはありません。これらすべてのケースにおいて、ポピュリストの指導者はあらゆるイデオロギーの境界を無視する有権者たちから票を獲得し始めました。これは、不満を持っている人自身は理解していない、そして必ずしも表立って表現されていない、何かはっきりしない恨みや不満があるためです。それは、集団的な移民や大規模な民族間の、あるいは人種間の融合に対する恐怖、コストが割高な地場の労働者に取って代わる安価な労働者への恐怖、過度に男性的である伝統的な価値の喪失に対する恐怖のようなものです。

不安や恐怖が原理主義やポピュリズムを生み出す

ナンディ：そのような問題がいくつかの特殊な形の不安を呼び起こします。そしてそれらの問題はどこかの国に特有のものではありません。あらゆる国において、そのような恐怖を言い募る同じ種類の人たちがいます。彼らは、そんな人々の不満で食べていくポピュリストの政治家たちの新しいグループを立ち上げて、その国の古い生活様式が脅かされているという考えを広めて栄えていきます。そのような文脈な中で、基本的には回帰することを決意していながらも、自分たちが回帰したい原典を具体的に示すことができない新しい種類の原理主義が出現しています。セム族系の信仰（ユダヤ教、キリスト教、イスラム教）を除いて、別の多くの信仰には依って判断する単一の原典はありません。つまり、あなた方はあらゆる範囲の原典や伝統の中から好みに応じて選ばなければならないのです。

例えば、インドではヒンドゥー主義について何かを話すと、ヒンドゥー主義の別の何かによって即座に否定されます。そして、そのことがある程度まで私たちを守ったのだと思います。アメリカのキリスト教徒の場合のように、ある原理主義者と千年王国信者が連合するようなことは起こりません。現在のインドの政権は投票の三一％で成立しました。つまり、投票した人の六九％が彼らに投票しなかったということです。しかし、憲法の構造及びインドが従っている選挙システムのウェストミンスターモデルのために、その協力者たちと同盟している支配政党が権力につきます。彼ら自身そのことを知っています。すべてこのような巧妙な政策の選択肢とキャンペーンのやり方が流行っているからです。そうです、彼らがやっているのは別のゲームなのです。このことは多かれ少なかれパキスタンを含めた南アジアの残りの国でも当てはまります。

最悪の例としてあげられるのは、パキスタンは南アジア地域における総てのテロの発生源だと思われていることです。しかし、パキスタンにもまた比類のない民主的な参加の歴史があります。本当に比類のないものです。パキスタン人は、いわゆる重大な流血の惨事もなく、街頭デモを通じて、ここ六五年間に四つの軍事政権を打倒しました。それはギネスブックに載るのに値するくらい価値があります。同じように、封建的で半君主的な政権を追い出して民主主義を目指すネパールの闘いは、たとえそれが現在の民主主義としてはねじれた形態であろうとも、世界に認められている民主主義への最短の闘いの一つでした。民主主義的な情熱がそこにあり、大きな支持基盤を求めている政治家ならば、別のどんなことをしてでもこの情熱を抱く層の支持を獲得するために、つまり情熱のある人々と話し合って支持を得る必要があります。そしてそれは容易なことではありません。これでご質問の方への答えに、少なくとも部分的にでもなっているといいのですが。

藤原：先ほどの先生のお話は宗教を非常に単純化、急進化して捉える考え方がなんで生まれるのかということでした。その後のナンディ先生のお答えは、つながっているんですが少し違っているんですね。というのも、政治とのつながりについて宗教で全て説明するというやり方を今、先生はあえてされませんでした。そもそもインドにイデオロギーがあるのか、それは本当なのか。共産主義に対抗して共産主義を打倒することで頑張っていた人が急にインド人民党（ＢＪＰ）というヒンドゥーを中心とした政党に、言ってみればくら替えする。今度は逆に共産主義者だった、あるいは社会主義者だった人がまたＢＪＰになってしまうとか、逆にまたＢＪＰを支持していた人がほかのところに行く、随分いろんな考え方に変わる人がいる。それを一つのイデオロギーとかで説明することはできないのではないかということをまず先生はおっしゃいました。

そこでちょっと次元が違うのですけれど、ポピュリズムのことをおっしゃいました。インドで起こっていることは実はインドだけじゃない、アメリカで起こっていること。もちろんドナルド・トランプ氏のことをおっしゃっているわけですが。あるいはフランスのマリーヌ・ル・ペンといった、さまざまなポピュリストのリーダーが出てきて、それとインドの政治につながった要素があるんだよというお話です。なんでそんなことになるのか。アメリカの場合であればどんどん多文化になっていく、移民が増えていく、それに不安を持つ人が出てくる、その不安を捕まえるリーダーが出てくる。それもポピュリストの政治だ。その点ではアメリカで起こっていることとインドで起こっていること、ほかのところで起こっていることにもつながりがあるんだというお話ですね。その意味で昔のテキストに帰りたがる、テキスト、原典に基づいた宗教という、そういう模索はこういった流れの中で考えていくことではないかというお話でした。

恐縮ですが、後ほど質疑応答の時間を取りますので、少し辛抱していただいて、話題を次に続けていきましょう。

ナショナリズムを超えたアジアとは

藤原：ここでアジアという課題に入っていきたいと思います。アジアという言葉は西欧に対抗するナショナリズムと結び付いて語られることがある言葉でした。西欧に対する東洋、そして植民地からの自立、その中で語られるアジアという広がりがある。ただ、先生がきょうお話になった内容ではアジアの将来についてナショナリズムに基づいたかたちを展開していらっしゃいません。

むしろ各国の国民国家、ナショナリズムの強化によりかかったアジアという見方にナンディ先生ははっきり反対していらっしゃいます。バンドン会議、これもアジアの新興国のナショナリズムと結び付けてわれわれは考えることがあるわけですが、これは地政学のようなものなのだと考えていらっしゃる。

そうするとここで大きな問題が出てきます。つまりナショナリズムに基づいていない、ナショナリズムを超えたアジアというイメージはどのようなことを指していらっしゃるのか。そのような模索、どのような試みがあるのか。そのナショナリズムとアジアのつながりをいったん解き放ったところで見えてくるアジアとは何だろうか。これをお伺いしたいと思います。

帝国と地域の自主性

ナンディ：多くの大国が過去に運営されていたやり方を見てみると、これらの国々がしばしば全く違った原理で組織されていることがわかるでしょう。例えば、英国は二〇〇年間インドを統治しました。そして英国統治の前はムガール帝国が四〇〇年間統治しました。インドの憲法はムガール国家からは何も受け継いでないように見え、英国による統治の経験からは少し受け継いでいるように見えます。大変堂々とした、自由主義的な憲法です。しかし、それは近代の国民国家について実際に持った、あるいはかなり影響を受けた南アジアの経験とは何の関係もない他の憲法の上に基礎づけられたものです。以前のムガールの統治の間、インドでは中央政府に対して地域によっては異なった忠誠を示しました。いくつかの藩王国（unit）は、政府の国庫に或る額のお金を支払うことによって、忠誠と従属を象徴的に示すだけでうまくのがれている。ムガールの統治の前半の期間、歳入の二五％以下しか中央政府の国庫に入っていませんでした。残りは藩王国によって使われていました。そのような取り決めは、インドが現在のカシミールで直面している問題と現在の北西インドでかつて直面した問題のいくつかを解決したかもしれません。そのことによって多くの命が救われたことでしょう。

しかしながら、今のインドの国家においては、そのような実験的なことをやってみる余地は全くありません。それればかりではなく、インドの指導者には刷新していく自信もありません。指導者のほとんどが、インドは連邦国家であるにもかかわらず、国民国家は強力で支配的な中央政府を持たなければいけないと信じています。そして、政党の利害と選挙への配慮が働き始めると、同じ指導者たちが国政をもてあそび国家をさらに中央集権化しようとします。私が思うに、国民国家に向かう過程で何かを失ってしまいました。

私が多様性を大変強調しているのは、アジアはすごく多様で、多様性とともに暮らし、多様性から学ぶための十二分の機会を与えています。私たちの国でさえも、封建的であった時、専制的であった時にも多様性とともに暮らして多様性を祝うことを学んできました。例えば、オスマン帝国は多くの欠点を持っていましたが、それらの欠点の一つに人種や宗教上の違いに対する不寛容さはたぶん入っていませんでした。振り返ってみると、アルメニア事件は例外のように見えます。確かに、かつてキリスト教への改宗を迫られて苦しい思いでスペインから逃れてきた人が多いユダヤ人住民に対するオスマン帝国の対応は、不寛容さを暗示しています。たぶん近代の国民国家の時代には、そのような事態を受け入れる受容力がさらに減っていったのだと思います。

藤原：先生はいま、国民国家という概念そのもの、もちろん歴史的に作られたものですが、それをある意味ひっくり返すようなお話をされました。インドはムガール帝国に支配され、今度は大英帝国に組み込まれるという経験をしましたけれども、その時代にさまざまな中央政府とのつながりがあって一色のものでも何でもなかった。ムガールがインドに残したもの、大英帝国がインドに残したものはそんなにはっきりしたものじゃない。このような多様なものがそのまま残っている社会は長らく続いてきたんですが、国民国家を作り、憲法を作り、ほかの国と同じような制度を作っていくということがインドでも行われる、ほかの国でも行われる。そのような国民国家の形成によって失ったものがあるんじゃないかというお話をされました。

あるいはオスマン帝国を取りましょう。われわれはオスマントルコと日本で呼ぶことが多いと思いますが、正確にはオスマン帝国と言ったほうがいい。ここでトルコという言葉を使うのは必ずしも正確ではない。トルコだけじゃなくてたくさんのところを支配していたからですけれども、そのオスマン帝国は民族を迫害していた、そしてそこから民族が独立したという話では実はない。もちろん帝国末期にアルメニア人の虐殺という大事件は起こります。しかしそれはむしろ例外ではないか。各地域には多様なものが残されていた。パレスチナもオスマン帝国の支配下にあったわけですね。

私たちは国民国家を前提として考え、その前提のもとで、多民族の帝国というのは間違いで、各国は独立するのが正しいと考えがちになります。例えばハプスブルク帝国、オーストリアからハンガリーからバルカンの一部までずっと支配した、いっときは縁戚関係でスペインともつながっていた。この大帝国の下でみんなが抑圧されていたのかといえば多分そうじゃない、むしろ逆なのですね。それぞれの地域の自立性は非常に高いものがあった。簡単に言えばハプスブルク皇帝が非常に弱かった。弱かったから各地域に強権的で中央集権的な支配なんかできません。そのためにさまざまな多様な秩序が残されていた。それが国民国家の建設に向かっていく。ハンガリーは独立を主張して二重帝国になる、ほかのところもさらに独立する。その過程で昔がよかったという人が現れてくるのですね。ハプスブルクの支配の時代のほうが自分たちが自分たちの暮らしができた、それが奪われたという声が出てくる。これは国民国家を作ることによって失ったもののお話でした。ただ、まだ確かにアジアのお話になってこないですね。そこでもう一つお伺いしていきましょう。

国民国家の限界と地政学的課題

藤原：まだアジアにはやってこないのですが、ただアジアには確かにいろいろな国民国家も作られました。中国、それからインド、それで言えば東南アジアの諸国もインドネシアとかベトナムとか。それぞれ多様性を抱えながら中央集権的で一つのネーションができたということを主張する国民国家がたくさんできたわけですね。日本ももちろん比較的早く国民国家を主張したところになります。

先生のおっしゃる多様性に対してここで出てくるのは民族を単位とした団結、そしてその民族以外のものに対して押さえ込んでいた、そういう秩序です。このような状況で出てくるそのアジアとは、国民国家、政府がお互いに対立して時には連合を組んだりする。先生がここでおっしゃっているジオポリティカル・プロジェクト（地政学的な課題）としてのアジアというものになってくるでしょう。日本と中国、あるいは中国とインド、いろいろな関係をわれわれは議論します。軍事的な対立とか経済の問題などでも議論しますね。

ここでご質問です。アジアがこのような国民国家の対向、地政学的なプロジェクトになっている状況を変えることができるのでしょうか。

ナンディ：地政学的な課題はいま人間的な経験の一部になっています。多くの国々では地政学的な課題とともに、また地政学的な課題の中において幸せに暮らしてきました。例えば、スイスは小さな国ですが、四つの民族とともに暮らしてきて四つの民族言語を持っています。スイスはそうするだけの余裕があるのですが、インドではできません。私たちは三〇の民族言語とともに暮らしています。ヒンディー語はそのうちの一つで、英語と並んで公用語でもあります。多くのインド人は、一つの国民、一つの国は一つの国語をもつものだと信じられているということを聞いて驚きます。国民国家が私たちに不可欠な前提として指示するもの総てを受け入れなければならないということはないのです。われわれは実験して、再調整して、異なった基本線から出発する権利があるのです。つまり、われわれの国家が国民をよく代表し、思いやりを持ち、社会全体をまるでスチームローラーがするように同じ鋳型の意識に抑圧せず、人を同じ型の市民に位置づけないように国民を守る権利があるのです。国民により多くの自由を与え、より地方分権化した統治を与える余地があるのです。集団的で、容赦なく同質性を求められる現代の世界においては、一層そうなのです。一方で、国家だけではなくジャーナリストも学究的な人も、人々を一緒に束ねていく国民的な食べ物、国民的なスポーツ、国民的な服装、そして時には国民的な宗教というような新しい接着剤を探しているのです。

土地に根ざすという原理だけで国民的な料理を持たなければならないでしょうか？ここ六年ぐらいの間に、英国では国民的料理がチキン・ティッカマサラだと宣言されるようになりました。それはカレー味がついたチキン・ティッカの変種で、たぶん英国で改良されたものですが、基本的にはムガール風の味つけをしたパンジャブ料理で、インド北部やパキスタンで人気があります。英国の誰も英国の国民的料理が外国の原産であることに驚かないと思います。英国人はフィッシュアンドチップスの人気が低いことを悲しむかもしれませんが、英国固有の料理として何が受け入れられて何が受け入れられないかについての論戦というのを見たことがありません。多くのポストコロニアル社会においては、そのような無頓着さは考えられないでしょう。私たちは選択肢の範囲が少なくなっている社会に生きているのです。

国家と国民とを媒介する団体が消えつつある

ナンディ：同種の話で、私が先ほどの講演で触れられなかったもう一つのものがあります。ここでその話を簡単にしましょう。国民国家は国家と市民との間の媒介者を好みません。世界中でこれまでお話したような扇動政治家とポピュリスト指導者たちがキノコのように急成長している理由の一つは、市民、とりわけ個々の有権者としての市民がお互いに孤立していて、主としてメディア――そのほとんどがテレビとソーシャルメディア――を通じて接しているということです。皆インスタ映えするこの新種の扇動政治家たちは、政治を極端に単純化された白黒写真に矮小化しています。この写真とともに単純化された解決策と敵・味方の明快なリストが出てきます。この人たちはこのような約束事で暮らしを立てています。約束に背くと、ドアを他のデマゴーグたちに向けて開けたまま去って行きます。このために、コミュニティが廃れつつあり、もうコミュニティだと国家が認めないようになるのです。労働組合が弱まってしまいました。そして、非公式なNGOが多くの第三世界の中で攻撃目標にされています。なぜならばそれらが多くの文脈の中で国家と個人の間に立っている唯一のものだからです。「以前はどこに行くにしろ文明は梅毒を持ち込んだが、今の世では近代資本主義がどこに進むにしろNGOを持ち込む」と発言する中国の学者を知っています。皆さんが国家と個人の間に立っているあらゆる他の組織化された、非公式的な部門を捨て去ったり破壊したりした後に、非公式なNGOだけが残りました。たいていの国家は自国の内部にあるNGOを嫌っています。国家は敵国のNGOを好むだけです。なぜならそれらが敵の国家を困らせるからです。NGOでさえも自由に機能しない時、反乱と暗殺が唯一のオプションとして残されます。これが反主流のグループと過激論者のデマゴーグが現れる本当の理由です。

藤原：ありがとうございます。大まかに分ければ二つお話をされたんですが、一つはやはり国民国家を作るというその前提を全部受け入れる必要はないんだというご指摘でした。

いろいろな言語があっていろいろなコミュニティがあるという社会は実際に実現しているじゃないか。例えばスイスでは四つの言語、四つの非常に異なる社会がスイスという国の中でずっと続いてきたじゃないか。その意味でみんなを一つにしちゃう、まるでスチームローラーで押しつぶすようにみんなを一つにしちゃうような国民国家の形成。これが必ず必然的なものだ、もう避けられないものだなんていう考え方をする必要はないんだ。だって実態は違うじゃないかと先生はおっしゃいます。

国民の料理、民族の料理なんていうけれど本当にそうなのか。イギリスでティッカマサラがイギリス料理だという。ティッカマサラ、おいしいですけれど、そもそもこれはインド料理というよりはパンジャブ料理だけれど、これがイギリス料理とはいったいどういうことなんだ。これはあらためて申し上げるまでもないと思いますが、例えばアメリカにいらして、私は大好きですけれども、アップルパイを食べる。アップルパイはもう極めてアメリカ的な料理で、アップルパイほどアメリカ的なものはないという表現があるぐらい、まるでアップルパイみたいにアメリカ的だと。けれども、アップルパイはもともとはアメリカの料理じゃありません。ドイツ、オーストリアなどの地域に生まれたリンゴのパイが、移民によってアメリカに持ち込まれた。確かにアメリカ製だということはできる。しかし、アメリカでそれを食べたオーストリア人は、こんなアップルパイはうちのものじゃないとおっしゃいました。

ワシントンに有名な麺料理のお店があります。ここでアジアのヌードルというものを提供する。おつゆはそばつゆです。かけうどんみたいなあのおつゆ。その中にラーメンが浮かんでいて、そしてホウレンソウとそれからギョーザが載っていて、これは中国人が自分の国の料理だと認めることはあり得ない。また日本人が、これが日本の麺料理だと認めることもまずあり得ない。こんなものはアメリカでしかあり得ないのですけれども、ごめんなさい。しかしながら少なくとも日本とか中国とかいう名前を外してアジアと呼ぶのだったらまだ我慢ができる。つまり中国でも日本でもない、その寄せ集めがアジアだ、そんなことになってくるわけですね。このように、これは冗談交じりですけれども、その全部をスチームローラーで均一化して一つにしちゃう国民国家という考え方が本当に必然なのかということを強く訴えられました。

次のポイントはより、ある意味では学問的なので少しすっと入ってくることがなかったかもしれませんが、とても大事な論点。国と社会の間に何かあるということを国民国家という観念はなかなか認めようとしないので、国と社会の間に何かがあるのを嫌う、何のことでしょうか。大きなくくりで言えばこれは共同体になります。その社会の中に自分がいる。そして自分だけじゃなくて多くの人がいる。そのようなまとまり、共同体というものが個人と国家の間にある。むしろこれが普通の状態なわけですね。歴史的にはさまざまなコミュニティがあるのが普通なんですけれど、それが先ほどの都市化のお話ともつながってきてだんだんコミュニティというものが壊れていく。また近代国家は国家が社会を統治するという仕掛けを作りますから、伝統的な共同体というものを嫌うわけですね。その結果何が出てくるかというと個人がどんどんばらばらになっていきます。極端に言えば個人と、それから政府の間につなぐものがなくなる。なんでつながるのか、マスメディアでつながる。そしてマスメディアを介してさまざまなデマゴーグとかポピュリストとか、随分強い言葉をお使いになりました。そのようなばらばらの個人を、ある意味、扇動するような政治家が出てくる。そこではグレーゾーンがない、白黒がはっきりした政治が生まれることになる。インドのお話ではその個人と国家の間に残されるのは、共同体は壊れていきますから、NGOだけになっちゃう。そしてNGOを政府は嫌う。インド政府も中国政府も嫌っている。

国家と社会の間の中間諸団体は、中世研究でもいわれる言葉ですし、もちろん社会史の中でもそのコミュニティという言葉はとても重要な言葉です。今、ナンディ先生はそんな大学の授業みたいなお話じゃなくて、だけどコミュニティというものがなくなっていくことが、それが政治を変えていくんだというお話をされました。

時間がなくなってきましたので、ここで皆さまからいただいたご質問に基づいた討論をしていきたいと思います。

アジアのアイデンティティーとは

藤原：一つ目の質問はI様からいただいたものです。アジアに一つのアイデンティティーがあると言われましたが具体的にはどのようなことを指すのでしょうか。植民地主義に抵抗する時代を経てアジア諸国は欧米の経済成長路線を進んでいます。そのような現在の状況の中でアジアという一つの共同体のような意識を持つことはできるんでしょうか。またそうした意識を持つことはこれからの世界の中でどんな意味があるんでしょうか。

ナンディ：私はアジアが一つのアイデンティティーを持つことができるとは思いません。しかし、アジアは多様なアイデンティティー、それも一部重なり合っているアイデンティティー、交わっているアイデンティティー、たぶん緩やかな境界のアイデンティティーの共同体であることはできます。つまり、アジアを諸文明の共有された出会いの場、諸文化の非常に多様な集合体の出会いの地点、新しい文化的・知的な実験が人類全体を代表して開始される場所と見るのが良いだろうと、私は言いました。このような可能性がアジアにあります。私たちは定着させられた全体ではありません。私たちは自分たちの歩みを後戻りすることができない場所にいるのではありません。われわれの発展と近代化は未完成、未熟な状態に止っています。幸いなことにそうなのです。十分進んできた中国ともっと進んだ日本でさえも全体図の一部なのです。アジアにおいては、高度に多様化した文化と文明の存在と結合した多様なレベルの発展と近代化の存在が、他に類を見ない形の創造性に貢献すると信じたいです。好都合な接触空間での文明の交差がいつも大きな創造エネルギーを生み出す傾向にあります。

藤原：ありがとうございます。私はアジアが一つのアイデンティティーを持つという考え方をしていない、むしろ逆だ。いろいろなアイデンティティーがある、それがアジアだ。ここでナンディ先生は一つの国の中のこととアジアという地域のことをほとんど区別していらっしゃいません。それは国内にいろんなものがあって、そしてアジアという大きな広がりであればもっといろんなものがある。そんな文化、多様な文化が出合うところとしてアジアという言葉を捉えていきたい。だから一つのアイデンティティーではなくていろいろだということになります。多様なものを受け入れていくことですね。

ここで先ほどナンディ先生が繰り返しおっしゃっていたダイバーシティ、多様性という概念。多様性を受け入れるその国、社会と、多様性を受け入れる地域というアジア。これがつながってくるわけですね。ここで国境を相対化すると言えばいいんでしょうか。国境を中心にここからは日本だよ、ここからは中国だよみたいなかたちの考え方ではない、要は文化的な、しかも多様な文化に根差した地域の把握をご指摘になっていると思います。

これはさまざまな宗教、民族の住むインドで強く認識される見方かもしれませんが、言うまでもなくインドだけではなく中国は多民族国家ですから、政府が認めるかどうかは別にして。それがだんだん均一化されていくという中にあり、多様性を認めない方向に向かっています。日本は均一化がたぶん早く進んだところですから、日本を多民族国家と呼ぶとすぐに強いリアクションが生まれます。

鳩山由紀夫元首相が行った発言の中で私はそのとおりじゃないかと思ったものがあります。彼は日本は多民族国家だと言って、当時野党だった自民党から大変な批判を受けました。でも日本は多民族国家でしょう。日本国民という言葉をどう定義するかにもよりますけれども、しかしながらエスニックなジャパニーズじゃない人が日本の中に住んでいる。その人たちも日本国籍を持っている人がたくさんいる。日本国籍を持っている、だからエスニックなジャパニーズじゃない人がいるということはまさに多民族国家ですね。多民族国家であるという考え方を認めないというのが、これが国民国家の見方、論理であり、その全部スチームローラーのようにつぶしていく見方だということになります。

歴史にどのように向き合うか

藤原：次のご質問はN様からいただいたご質問です。歴史から適切に教訓を得るためにはどんな姿勢、考え方で歴史に向かい合うべきだと思いますか。ここで例を引いていらっしゃるんですが、いま日本と中国で領土・領海の争いが生まれています。メディアでは中国の目的は何か、何を考えてこんな行動をしているのかということが問題提起されますけれども、それに対する答えとして明朝、明代ですね。明朝の時代の栄光を取り戻そうとしているのだとか、あるいは中国の歴史から見ると彼らはこういうことをするだろうといった解釈をする人もいます。将来を予測するためには現代を正確に認識する必要がある。現代を正確に認識するためには歴史の解釈が必要になる。そこでその歴史にどう向き合うか、どんな視点から歴史を見るか。歴史から教訓を得るためにはどういうふうに向かい合うべきだとお考えですか。

ナンディ：正直に言ってこの質問に対する十分なお答えは差し上げられません。なぜならば、大文字の歴史と小文字の多くの歴史があります。すべての国は、もっとはっきり言えばすべてのコミュニティは、自家版の小文字の歴史を持っていて、それらの歴史同士が優位に立とうと競争するのです。幸いなことに、今日独自の歴史に満足している国はないものの、その公式的な歴史の束縛に満足する国もありません。

個人的には、長年私は歴史が学問として過大評価されていると考えてきました。歴史は過去の中に確実性を求めて、その過程で選択肢を現在に閉じ込めます。伝統的に、私たちの社会の中では過去は未来と同じように開かれていました。なぜならば、時間は直線的に進行するように見えないからです。いま、過去は私たちの倫理的な判断に開かれた、部分的には神話的な構造物だとはもう信じられていません。過去は公的な布告と政治的な教科書と歴史の検閲によって形作られています。政治的に正しいと言われる確実なものを加えることによって、自分たちに都合よく過去を凍結させて歴史が作られることもしばしばあります。なぜなら、それがわれわれにとって心地良いものであるからです。人類には、過去の屈辱、戦争での敗北への仕返しをするために、あるいは別様の屈辱を取り消すために、過去を現実のものとする権利はないと信じる人は今やほとんどいません。

人類は現在に生きることを学び、そして過去と未来が現在において出会うことを認識しなければならないと私は信じています。過去を超えるために、過去を知らなければなりません。なぜならば、私たちは過去と未来の両方を現在という観点から再編成することしかできないからです。人間が認識することができる能力による制限に応じて過去と未来が存在するのが、今この瞬間なのです。過去を現在的に作り上げることが、今日では歴史と呼ばれます。一方、未来を現在的に作り上げるのが未来学、すなわち「futuribles」と呼ばれます。このように、この瞬間は物語の重要な一部なのです。私はあなた方に過去を忘れなさいと言っているのではないのです。過去が過度の負担とならないようにしなさいと言っているのです。精神分析学者ブルーノ・ベッテルハイムがかつてシェイクスピアの戯曲の文脈において言ったことですが、ハムレットの父はハムレットに父を殺した殺人者に復讐することを望んで、過去の世代の諍いを現在のハムレットの手の中に残して行きました。そして、ハムレットの究極的な悲劇は、ハムレットが自分の人生を父の代わりに生きようとしたことでした。それは健全な生活を送る方法ではなかったとベッテルハイムは考えていました。

国民国家は一種類しかないのだろうか

ナンディ：私はベッテルハイムに同意したくなります。中国がもしチベットにかつて与えると約束した自治権を認めるとしたら、中国は何を失うと考えているだろうかと時々思います。結局、中国は一つの国で三つの政治システムが働いている国だと主張しています。四つ目のシステムは中国の現状に地球規模での地位あるいは軍事力や経済力に大きな違いを生じさせるのでしょうか。同じ様に、もしカシミールがもっと自立的な存在に至る自由を付与されるとしたら、どんな困難がインドを襲うだろうかと私は時々思います。結局、カシミールの自治権はインドの憲法に書き込まれました。両方のケースにおいて、二つの国家が中央集権化されるにしたがい、チベット人とカシミール人が享受できる最低限の自治権でさえも次第に無力化されました。今チベットとカシミールにおいて、台湾と香港で政治的団体が望んでいるような完全な独立を望んでいると言う活動家たちが失望しているのは本当です。それらのことを政治的に処理することができないだろうか。中国とインドの両国は、その問題に関して妥協をしようものなら、守備している国家を脱男性化、弱体化させてしまうと危ぶんでいるのでしょう。両国とも、西洋が世界的に優勢であることの真の糸口となっている国民国家という考えを賛美しており、両国ともにふさわしい近代国家は一種類しかないものと信じています。

しかし、国民国家の経歴は最後の世紀（二〇世紀）を通して擦り切れています。私は大量虐殺の研究者でもあります。完全なデータに近いものが存在する唯一の世紀、二〇世紀には、おおよそ二億二五〇〇万人が大量虐殺で死にました。この二億二五〇〇万人のうちで、七〇％以上が自国の支配下で死にました。そして、その約三分の二は非宗教的な国家の支配下で死にました。皆さん方自身の国家は、公言されているイデオロギーにもかかわらず、あらゆるテロリスト集団よりももっと危険でありうるのです。私の話がアナキストのように聞こえるでしょうか。私は容易に利用できる経験的なデータを単に提供しているだけなのです。そして、国家は人間が作ったものです。そして人間が作ったものでかつて完璧なものはありませんでした。そして、われわれには、たとえそれらが短期的には完璧に見えても、人間が作ったあらゆるものについて疑ってみる権利があります。われわれにはまた、国民国家のシステムに本来備わっている隠れた可能性を見る責任があります。

藤原：歴史は過大評価されているのではないか。過去からわれわれは解放される必要があるのではないか。普通、偉い先生は歴史に学べと言うのですよね。過去に学べと言うのだけれど、過去から解放される必要がある。ずいぶん大胆なお話で、それは過去に縛られていることの問題をおっしゃっているわけです。

先ほどハムレットのご紹介をされました。ハムレットはご案内のとおりお父さんの敵を討つわけですけれども、ハムレットがお父さんのことにとらわれていなかったら別の人生があったかもしれない。おやじさんのことばかり考えて敵討ちを考えるから、だからあんなことになったんだと言っている、その方のご紹介をされて、過去に縛られていることの問題点をおっしゃいます。言うまでもなくチベット問題。これはそれぞれ中国政府も、それからチベットのダライ・ラマもさまざまな歴史に関する主張をしている。でもそれは別にして、チベットの自治を認めたっていいじゃないかという考え方はあるじゃないか。いろんな経緯のことばかり持ち出して、だからああだ、こうだと考える必要が本当にあるのか。カシミールの自治を拡大することがなんでできないのか。

ここで先生はその歴史だけではなくて国民国家という枠、それから国家という枠で考えることに問題を提起されます。私たちは普通、国家がわれわれの生命の安全を守ってくれる、国家がわれわれを守ってくれるのだと考える。本当にそうだろうか。二〇世紀に暴力で死んだ人を全部合計すると二億二〇〇〇万人以上にのぼる、大変な数ですね。でも二億二〇〇〇万はちょっと多すぎやしないか。第二次世界大戦でそんなに死んだだろうかと思うところなんですが、先生のお話は死んだ人の三分の二は国内で死んだ。それは国家に殺される、内戦ですね。ここで国が守ってくれるというその前提、国がわれわれの安全を守ってくれるという前提そのものが実は成り立っていない。国家は安全を守ってくれるどころか安全を奪う存在だということもある。それを疑うこと、国民国家について疑うこと、また疑う権利というものがあるじゃないかという、大変強い、ある意味で魅力的なお話をされたと思います。

カースト制度の今後について

藤原：まだご質問をいただいているんですけれども全部ご紹介することができません。その中で一つお伺いしたいもの、これはお名前が書いていないのですけれども、これからのインドの発展のためにカースト制は障害であると考えますが、カースト制の現在、そして将来の見通しをお伺いしたいと思います。

ナンディ：カーストの質問にお答えする前に小さいことですが一点申し上げます。二つの世界大戦で莫大な死傷者が出ました。しかし、二度のアイルランドの飢饉、二度のロシアの飢饉、一度の中国の飢饉と第二次世界大戦中のベンガルの飢饉は、今では虐殺の要素を持った飢饉と考えられています。それらの飢饉が人為的で、関係国が犠牲者を見て見ぬふりをしたという意味でそうです。私はベンガル飢饉の事例を憶えています。それは三〇〇万人の生命を奪いましたし、もしもウィンストン・チャーチルがやろうとしたことを実行していたらさらに大きな犠牲者が出ていたことでしょう。飢饉は人工的だったのです。なぜかといえば、その年に不作は全くなかったのですが、ドイツ人が英国を攻撃した場合の貯蔵物を用意するためにあらゆる収穫物が英国によってかき集められたからです。インドの最後の総督であったマウントバッテン卿が主張した後日談では、飢饉に見舞われたベンガルからさらに多量の米をかき集める計画が準備されていたのですが、カルカッタ港で船が待機しているにもかかわらず彼がこの計画を覆して、五〇万人の命を救ったということです。その飢饉に関するチャーチルのコメントは、無駄な体重を落とす自然のやり方と同じで、野蛮な宗教を持った野蛮人の数を減少させた、というものでした。アイルランドの飢饉の期間に、アイルランド人を人間以下の状態で扱っていることについても、同様のコメントがなされました。

今からはカーストの質問についてです。カースト制度は非常に堅く閉じられていますが、時にはオープンでもあります。単に所在を変えることによって、あるいは政治的に無視するにはあまりにも人の数が多すぎるために階層を上げたコミュニティもあります。このような例はたくさんあります。外からインドに入ってきた多くのコミュニティは一つのカーストになりました。カーストのカテゴリーは人々を、神性を、そして性格を分類する方法として使われました。神でさえもカーストを持っていますし、農業の収穫物にもカーストがあります。本日カースト制度がどこに立脚しているかをお話するのは大変難しいです。全体から見て、カースト制度がとても多くの虐待、暴力、搾取を引き起こしていると考えられるならば、制度は廃止されるべきだ、と私は個人的には考えます。しかしそれは簡単ではありません。

というのは、カーストを廃止するためには、カーストの原理に基づいて人の結集をしなければなりません。その困難な状況は、「黒人」たちが正当な評価を得ることができようになる前に、「黒人」として認識されるために組織化されなければならなかったアフリカ系アメリカ人に似ています。これはゲームの規則で、特に民主主義においてはそうです。しかしながら、もしインドが「不可触賤民」を廃止することができるならば、そのことによってカースト制度の基盤を打ち砕けるかもしれないと私は信じています。幸いなことに、カースト制度はいま非常に政治化されています。カーストが政治に影響を与えているというよりも、政治がカーストに影響を与え、カーストを利用して政治のあり方を再編しようとしていると言えます。インドの政治はいま、遅れているとみなされてきたカースト制度に大きく影響されています。インドでは、ここ三〇年〜四〇年間に上流カーストの州首席大臣がひとりもみられない州もあります。これもまた幸いなことに、カーストの高いインド人はカーストの低いインド人よりも数が少ないので、結果として政治的に優位な社会集団はほとんどいつも低いカーストです。どうかこの部分の話を忘れないでください。

藤原：カーストを考えるときにはまずカーストというのが大変な数ある、七万ですか。神様にもカーストがあるし農産物にもカーストがあるし、さまざまなものを区別するという概念なので大変な広がりがあるということを頭に置かなくちゃいけない。さらにカーストをなくしていくためにはカーストがあることを認めなくちゃいけない。このカーストをなくしていく、このカーストをなくすために集まって何か活動するということになるとカーストを認めることになりますね。そこに大きな矛盾がある。さらにカーストが政治の道具になっている。低いカーストであることをいわば道具にして、そして政治家になるなんていうことも現れている。だからなかなか一筋縄じゃいかないのだよというお話なのですが、その中でカーストが大きく変わっている、なくなりつつあるということをまず見なくちゃいけない。カーストをどうなくすかというよりもカーストが変わり、消え去ろうとしているところがあるのだ。そこにも目を向けるべきだというお話がありました。

グローバリゼーションの中におけるアジア

藤原：本日のお話はアジア地域の国内の多様性を中心としたお話でした。アジアという言葉がヨーロッパやアメリカとの対抗の中で使われてきた過去についても議論されました。そして現在でも例えば経済のグローバル化、グローバリゼーション、それとアジア各国の対抗というのでしょうか。その中でさまざまな議論が行われます。そこでそのアジアのユニティー、アジアの一体性をヨーロッパ、アメリカとの関係でどう考えるのか。それは植民地、独立のときの考え方と同じようなものなのだろうか。ここでもおっしゃっているようにアジア各国はヨーロッパやアメリカに対抗しながら同じようなことをしているわけですね。ヨーロッパやアメリカのような経済を導入し政治を作って、国民国家もヨーロッパやアメリカのモデルでした。その中でアジアという言葉は何なのだろう。アジアという言葉がヨーロッパ、アメリカとの関係の中で今、持っている意味、グローバリゼーションの中であらためてどのようにお考えになりますか。

ナンディ：それもシンボルとしてということでしょうか。そうであれば少し難しくなりますが、たぶん多くの大規模な実験が進んでいく場所の一つであることで、アジアがシンボルになることは可能です。例えば、アジアは環境保護主義の代替モデルになろうとすることはできます。なぜならば、アジア全体が都市産業文明に入っていこうとしているのですが、アジアは依然として今も選択肢を持っているからです。たぶん皆さんご存知のように、インドは日本と核エネルギーの協定に調印しました。しかし、インドの電力需要が核エネルギーによって賄えられるでしょうか。そして、核エネルギーはどれくらい危険なものなのでしょうか。高人口密集国なのですから。インドの人口密度はほとんど日本と同じくらい高いか、多分もっと高いでしょう。福島のような事故は日本でよりももっと危険になります。なぜならインドでは、事故や漏出の場合に素早く避難するのが難しい、アクセスしにくい場所に発電所が設置されており、そういう場所に多くの人々がいるのです。

別種のやり方で環境の問題に対処する方法はあると思っています。しかし、この場でそれらについて議論したいとは思いません。その代わりにインドは、異なった意見に対して寛大に開かれている古来の伝統——多くの政治制度を生き延び、多くの危機を乗り切って、いまだにすり減っていない伝統——をアジアに持ちこむことができることを示唆したいと思います。そして、根源的で文化的、政治的な異議申し立てでさえもが、異種混淆の倫理的、社会的地位を保持している場所としてアジアを再評価することができると信じています。参加民主主義、人権、監視や検閲のような、地域において異議がある問題については特にそうです。私がこの講演の中で展開しなかった話題に触れて終わりにします。英国のライターで「パンチ」という雑誌の前の編集者であったマルコム・マゲリッジ（Malcolm Muggeridge）が、インド人はヴィクトリア朝時代の人間の唯一の生き残りだ、とかつて言った時に、それは何を意味していたのでしょうか。多くのインド人が前世紀に生き続けており、心理学的な意味で失われ死んだ都市に住み続けています。インドでは、多くの人が死滅した言語だというサンスクリット語を二つの村だけで使っています。違う考え方を大事にするというインドの発想が、自分たちの文明や文化の忘却、拒絶された過去だけでなく、時には他の文化や文明の過去を保ち続ける能力を包含していると信じたいです。それがアジアという共同体における一つの流れとなる伝統なのです。

藤原：アジアがシンボルとして持つ意味について先生は、ヨーロッパやアメリカと違うやり方。今、普通にこれだと考えているやり方と違う方法。また市場経済から見てこれしかないと考えられているやり方と違うもの。違うものがアジアの中で行われているものを発見し、それをその可能性を探っていく知的な実験、ということをおっしゃいました。原子力発電は本当に必要なのか。日本人にとって切実な課題ですね。あるいは公共交通の在り方は今のようなやり方しかできないのか。冷房に頼らなければ生きていけないのか。インドは冷房が今すごい勢いで広がっていて電力が大変なことになっているんですが、冷房に頼らない生き方というものを作っていくことができるだろうか。そういった普通のやり方と違うと思われるものを発見し可能性を実験していく、そういう意味のアジアという言葉をおっしゃいました。そしてそのためには異議を申し立てる、違う考え方を言うディセント（dissent）、それが大事だということもご指摘になったと思います。

二一世紀はインドの世紀となるか

質問：二二世紀はインドの世紀だといわれる日本人の先生がいらっしゃいます。ナンディ先生、二二世紀はインドの世紀になりますでしょうか。

ナンディ：私はそうならない方がいいと思います。超大国になるという考えは誤った道だと思います。自己破滅の道です。それはアメリカを破壊することであり、われわれを破壊することでもあります。

藤原：そうならないことを願っているというお話でした。大国を目指すことが一番大事なことではない。今のお話でもお分かりになったと思いますが、アシシュ・ナンディ先生はいつもオリジナルな新しい視点を探してずっと議論を組み立ててこられた方です。ただ思いつきを並べるのではなくて、普通われわれがこうだと考えているものと違うものが現実に起こっているんじゃないか。それをインドの中、そしてインドばかりではなくいろいろなところで探ってこられました。本日、先生のお話をお伺いできたことを私はとてもうれしく存じます。また皆さまに少しでも持ち帰っていただけるような新しい発見があるフォーラムであったことを願って、本日のパネルを終了したいと思います。

最後になりますけれども、アシシュ・ナンディ先生に、よろしければ私とともに大きな拍手をしていただけるとうれしく存じます。ナンディ先生、ありがとうございました（拍手）。

（翻訳＝福岡ユネスコ協会）

本書は二〇一六年一二月一一日、福岡市で開催された「福岡ユネスコ・アジア文化講演会」（福岡ユネスコ協会主催、福岡市教育委員会共催、福岡アジア文化賞委員会協力）をもとに一部補筆したものです。出版化をご承諾いただきました講師のアシシュ・ナンディさんと討論者の藤原帰一さんに厚く感謝申し上げます。

（一般財団法人福岡ユネスコ協会）

【著者紹介】

アシシュ・ナンディ（Ashis Nandy）

一九三七年インド、ビハール州バーガルプル生まれ。政治心理学者、社会・文明評論家。ナーグプル大学大学院修士課程修了。発展途上社会研究センター（CSDS）研究員、所長を務める。インド社会科学研究会議・国家指名会員。二〇〇七年福岡アジア文化賞大賞受賞。著書に*At the Edge of Psychology: Essays in Politics and Culture, The Illegitimacy of Nationalism: Rabindranath Tagore and the Politicsof Self*など多数。

藤原帰一（ふじわら・きいち）

一九五六年東京都生まれ。東京大学名誉教授。専門は国際政治学、比較政治学、フィリピン政治研究。東京大学大学院博士課程及びイェール大学大学院修士課程修了。千葉大学助教授、東京大学社会科学研究所助教授、東京大学大学院法学政治学研究科教授を歴任。著書に『デモクラシーの帝国—アメリカ・戦争・現代世界』『平和のリアリズム』（石橋湛山賞受賞）『これは映画だ！』『不安定化する世界—何が終り、何が変わったのか』など多数。

FUKUOKA *u* ブックレット㉕

アジアの未来を描き直す
——インドからの発言

二〇二四年四月三〇日発行

著者　アシシュ・ナンディ
藤原帰一

発行者　小野静男

発行所　株式会社 弦書房
（〒810・0041）
福岡市中央区大名二-二-四三
ELK大名ビル三〇一
電話　〇九二・七二六・九八八五
FAX　〇九二・七二六・九八八六

装丁　毛利一枝
印刷・製本　アロー印刷株式会社

ISBN 978-4-86329-283-3 C0036

「FUKUOKA *u* ブックレット」の発刊にあたって

「転換期」ということばが登場して、もうどれくらい経つでしょうか。しかし、「近代」は暮れなずみながら、なお影を長く伸ばし、来るべき新たな時代の姿は依然として定かではありません。

そんな時代に、ここ福岡の地から小冊子「FUKUOKA U ブックレット」を刊行します。

福岡は古くから「文化の十字路」でした。アジア大陸に最も近く、また環東シナ海の要石の位置にあって、さまざまな文化を受け入れる窓口として大きな役割を果たしてきました。近代になっても、アジアとの活発な交流は続き、日本の中で最もアジア的なにおいを宿した都市として知られています。今日ここでは、海陸の風を受けながら、学術や芸術に関わる多彩な活動が繰り広げられていますが、しかしメディアの一極集中のせいで、それは多くの人の耳や目に届いているとは言えません。

「FUKUOKA U ブックレット」は、ユネスコ憲章の「文化の広い普及と正義・自由・平和のための人類の教育とは、人間の尊厳に欠くことのできないものである」という理念に共鳴し、一九四八年以来、旺盛な活動を続けている福岡ユネスコ（Unesco）協会の講演会やシンポジウムを中心に、福岡におけるビビッドな文化活動の一端を紹介しようとするものです。

海（Umi）に開かれた地から発信されるこのシリーズが、普遍的（Universal）な文化の理解（Understanding）に役立つことを願ってやみません。

（二〇一二年七月）